民間目連戲中庶民文化之探討

—— 以宗教、道德與小戲為核心

郝譽翔 著

戲曲研究系列

曾永義 主編

文史哲出版社印行

國家圖書館出版品預行編目資料

民間目連戲中庶民文化之探討：以宗教、道德
與小戲為核心 / 郝譽翔著. -- 初版. -- 臺
北市：文史哲，民 87
　面：　公分. -- (戲曲研究系列；6)
參考書目：面
ISBN 957-549-185-8(平裝)

1.地方劇 - 中國 - 評論

982.5　　　　　　　　　　　　　87016366

戲曲研究系列　⑥
曾永義主編

民間目連戲中庶民文化之探討
——以宗教、道德與小戲為核心

著　　者：郝　　　譽　　　翔
出版者：文　史　哲　出　版　社
登記證字號：行政院新聞局版臺業字五三三七號
發行人：彭　　　正　　　雄
發行所：文　史　哲　出　版　社
印刷者：文　史　哲　出　版　社
臺北市羅斯福路一段七十二巷四號
郵政劃撥帳號：一六一八○一七五
電話 886-2-23511028・傳真 886-2-23965656

實價新臺幣三二○元

中華民國八十七年十二月初版

曾 序

　　文史哲出版社負責人彭正雄先生，在我心目中是個「傻子」。我常說當今充滿「聰明人」要一夜成名一日致富掠勢奪權無所不用其極的社會裏，要找一個「傻子」，眞比礦脈中挖顆鑽石還難。彭先生的「傻」，是長年以來不計成本選擇最冷門的文史哲全家動員的來爲學界服務，所以他出的書，儘是品質高銷路差的學術著作，但也爲此嘉惠了許多讀書人，他也成爲大家的朋友。

　　某次相見，我問彭先生是否繼續「傻」下去？有我近年指導的博碩士論文，都屬戲曲研究，共六本，可成一系列，保證具水準、有創發，尤其論題新，可供學者參考。彭先生即刻答應，說：「你開口了，我會猶疑嗎？」而我深信，我這六位學生是不會辜負彭先生提攜之美意的。

　　被收在文史哲《戲曲研究系列》的六本論文，有兩本博士論文四本碩士論文。其著者有李惠綿、蔡欣欣兩位現任大學副教授，其餘許子漢、游宗蓉、林宗毅、郝譽翔等四位正攻讀博士學位。

　　李惠綿在他們六位中年輩稍高，由臺大中文系所學士、碩士、博士一路上來。她雖然因小兒麻痺症行動不便，但治學做事教書認眞負責，一如常人。她做研究生時，得過教育部學術論文獎和散文創作獎；負責編輯《關漢卿國際學術研討會論文集》，她於十個月內就使之出版；兼任講師教大一國文時，陳校長曾經

特別寫信感謝她，由於她的愛心和鍥而不捨，挽救了一個要拋棄自己的學生。我稱惠綿叫「萬靈丹」，因爲許多我胡塗或偷懶的事，找她幫忙，都可以獲得解決。我的老師王叔岷教授高齡八十有三，屢次向我嘉許惠綿，說她讀書、做人都非常好。她唯一的毛病是非常熱心，因此不免也有失落的惆悵。

惠綿研究戲曲，主攻理論。我說一般研究戲曲理論的，多不以問題爲主軸作系統性的探討，每致支離破碎，甚至不知所云。我要惠綿將環繞論題的課題一一找出，然後從縱橫兩剖面去全盤分析和歸納，融會貫通述其來龍去脈，如此對學術才有眞貢獻。惠綿碩士論文《王驥德曲論研究》、博士論文《元明清戲曲搬演論研究》便因此都採取了這種主題式的研究方法。

惠綿的碩士論文已由臺大文學院文史叢刊出版。她博士論文的題目，我原本給的是「元明清劇學研究」。所以給她大題目，是因爲我認爲涉獵要從廣博入手，才能選取最有心得的菁華來結撰成篇，且可以避免因執其一隅而有顧此失彼的弊病。惠綿雖然只提出劇學中的「搬演論」做爲博士論文，但就分量而言，已綽綽有餘。因爲劇場上搬演，以演員爲主體，而戲曲演員必兼備「唱做念打」的技藝，以充任腳色行當，扮飾劇中人物，使之「形神合一」，倘又具姿容之美，則堪稱「色藝雙全」。惠綿經此理念架構了色藝論、度曲論、曲白論、身段論、腳色論、形神論六大主題。實以色藝論爲綱領，由「藝」之觀點而開展出度曲論等四大主題，而以形神論統合，說明由藝入道的歷程，也象徵表演藝術的最高境界。這六大主題環環相扣，首尾呼應，無不貫穿元明清三代，以剖析其精義、掌握其旨趣，以見其源流脈絡。也因此能於時賢所講究之京戲搬演經驗與規律之外，並以雜劇、

戲文、傳奇、崑劇為對象內涵而廣開視野、建立體系，其成果自然有令人刮目相看的地方。

惠綿為了做這個題目，文獻資料之外，還看了許多舞臺和錄影帶中的戲曲演出；為了「度曲論」要弄通語言聲韻學，向楊秀芳教授請教，獲得了不少啟示。

記得民國七十九年夏日我首次到上海，杯酒之間和上海戲劇學院的陳多教授談到彼此所指導的研究生，沒想李惠綿和葉長海的博碩士論文，題目幾乎相同。他們如出一轍的都以王驥德的曲學為碩士論文，緊接的博士論文，葉長海以《中國戲劇學史稿》，李惠綿也初擬「元明清劇學研究」，其題目也甚為相近。往昔海峽兩岸互相禁閉，學術訊息極難交流，所以陳多先生和我都認為我們這兩位指導教授，真是「英雄所見」。葉長海教授是戲曲學術界的菁英，所著自不同凡響；惠綿年紀雖然較輕，著作的出版也較晚，但研究方法不同，當然也有可觀。

蔡欣欣的文學士、碩士、博士都在政治大學獲得。我對於其他大學研究生找我指導論文，有個起碼的條件，即必須至少到臺大聽我一門課，因為我覺得這樣才叫「親炙」。不止老師要知道學生的讀書能力；學生更要了解老師的治學態度方法與性情襟抱為人。學生對於老師，好的方面多學習，壞的方面也要避免。

欣欣在臺大聽了我兩年的課，參加我主持的研究計畫做田野調查工作；並協助洪惟助教授和我兩度到大陸蘇州、南京、上海、杭州、郴州、北京去錄製六大崑劇團的代表劇目作為「崑劇選粹」，凡一百三十三齣。這些龐大的崑劇經典戲可作教學、觀賞、研究之用。欣欣不辭勞苦，為崑劇藝術文化的保存和傳揚，盡了很大的力氣。

欣欣的碩士論文是《臺灣地區現存雜技考述》，所以給她這樣的題目，一方面是因為那時我正用心用力從事臺灣民俗技藝的維護與發揚工作，請她加入行列，從田野的實務經驗去採擷學術的具體資料，是極有意義的事，而對此，友人吳騰達教授給她不少協助；另一方面我認為戲曲和雜技的關係非常密切，有此為基礎，可以作進一步的研究。欣欣果然以《雜技與戲曲發展之研究》作為博士論文。

欣欣的碩士論文可以說是記錄和探討臺灣民間雜技較為深入和完整的著作。她的博士論文，也尚沒有人這樣深入的寫過。只是和李惠綿一樣，也因為我給的題目太大，所以截取「從先秦角觝到元代雜劇」這部分提出。其實要探討雜技和戲曲發展的關係，非常的煩雜。單就資料而言，要從歷代筆記叢談去篩檢散樂百戲的相關記載，以便了解雜技在各時代的面貌；要從戲曲史論、戲曲理論、劇場藝術，以及劇種演進規律等專論和著作為基礎，用來建構雜技與戲曲之間互為脈動的關係；還要蒐集各種相關的考古文物圖版、出土研究報告，以此來和文獻相印證；同時也要涉獵中國音樂、舞蹈、曲藝、體育、武術等相關學科，求其更周延地關照到雜技與戲曲的關聯。而最重要的是從劇本中找直接資料，所以在閱讀浩繁的劇本時，不可絲毫苟且。對此，欣欣都努力做到了，她的戲曲根基也因此打得很堅實；而她對此論題的研究又能界定以結合社火歌舞，或搭配武術競技，或運用說唱藝術，具有耍弄戲玩、驚險奇幻的「雜耍特技」為主體，探究戲曲從先秦角觝到元代雜劇的發展中，雜技對於戲曲的題材內容、武打技藝、歌舞身段、腳色行當、妝扮穿關等方面的影響，給予雜技在中國戲曲上應有的地位，並建立其與戲曲發展交流的脈絡

體系。就因爲欣欣以如此辛勤的功夫和周密的思考，所以她的論文像個有機體，體系網絡完備而靈動，證據確鑿，頗有前賢所未及之言，對學術自然有很大的貢獻。

記得欣欣曾向我說，醫生認爲她免疫系統失調不適宜懷孕，而她懷孕了。我說，一個小生命到你身上來，你就要好好的完成他；你一年不必上課、不必做論文，全心全力去面對，一定會順利。果然，欣欣母子均安，他先生和家人以及我們都很高興。而欣欣做事是傾其所能的，包括把看戲關涉到戲劇研究，她就古今中外無所不看。我只希望她多留意身體的「老毛病」，好讓關愛她的人放心。

許子漢在中文系很特出，他之進入中文系，比起我當年更值得「稱道」。我念台南一中，物理有時還考全班第一，數學化學也不差，只因爲英文五音不全，就毅然決然以臺大中文系爲第一志願，幸運的得爲榜首。許子漢則是他那年大專聯考的甲組狀元，臺大電機系的第一名，竟轉到中文系來。我不知道子漢是否和我一樣，曾被師長同學親友議論甚至嘲笑，說是「自我栽進冷門科系」。但子漢到中文系來同樣「氣勢如虹」，「第一」和他結了不解之緣，無論學期成績或入學成績，他都「第一」到底，連李惠綿所保持的博士班入學考試超過平均八十分的紀錄都被他打破了。而子漢一點驕氣也沒有，他的學姊最喜歡找他「麻煩」，不管如何費心費力，他從不推辭。他讀書也都能自給自足，無須家裏接濟。他參加我主持的「古蹟與民藝」展演工作，北中南奔波，都能做得很完好。

子漢的碩士論文是《元雜劇聯套研究》。元雜劇的規律謹嚴，就套式而言，那些曲牌在前，那些曲牌在後，那些曲牌要連用，

以及其與宮調聲情，如何配搭劇情，都有一定的規矩，隨意不得。對於聯套規律的研究，前人大抵只及於表象且未盡全體，直到鄭師因百《北曲套式彙錄詳解》，才作完整的觀察。子漢就在因百師的基礎上更進一步深入研究，他的可貴處是能將套式與劇情結合，考察其中的關係，從而歸納出各宮調所適用劇情之形態，並與元人芝菴《唱論》之「宮調聲情說」相印證，以袪學者之疑。也因此，子漢能發現聯套單位之層次爲「曲牌與曲段」，聯套規律有獨用或連用、必要性、使用次數、排列次序等四項要素，聯套單位有一般情節鋪敍、反覆情節之鋪敍、平緩情節之鋪敍、劇情轉變之鋪敍、補綴唱段、高潮唱段、場面引導、場面之收束或區隔等八種用法。子漢這本論文可以說是目前研究元雜劇聯套最詳密的著作，很值得學者參考。

記得去年春天，我和子漢在台大長興街宿舍的庭院散步。那時我正寫作一篇散文，題爲「宿舍的園林」，描寫前年九月被颱風摧殘前後的園林景況。我對園林中好些樹木的名字不清楚，便隨意問問子漢。沒想他幾乎無所不知的一一告訴我。我很詫異，他說室友有念植物系的，平時常向他們請教。即此可見子漢的好學，也難怪他「一路第一」，雖然研究戲曲，其他科目的造詣也都很好。

游宗蓉師專畢業，在小學教過書，插班臺大中文系，碩士班選我課時，我就看出她很用功，讀書富於心得，一直到現在，我仍給她最高分數，去年她也以第一名考取博士班。她不太說話，掛電話到史坦福大學給我，也只有三言兩語；但事情交給她做，無不做得整整齊齊，她的每篇期末報告，都可以當論文發表。

宗蓉的碩士論文《元雜劇排場研究》，和子漢的《元雜劇聯

套研究》，簡直是「蓮開並蒂」，而他們正是一對新婚未久的夫妻。

　　宗蓉和子漢的結合，多少和我這個老師有些關係。我對他們兩位很欣賞，又覺得他們的性情和對表演藝術的喜好都頗爲接近。於是我有意安排他們一起爲我整理研究室，我家裏書房和學校研究室之亂都簡直成「書災」，子漢和宗蓉光爲我一張書桌和它周圍所堆積的書本，就足足用了三天的功夫，方才把它遷移到新闢的戲曲研究室裏。過了些時日，我和子漢閒話，問他有沒有女朋友，他說有，再問他是誰，他有點腼腆的說是宗蓉。從此我常給他們戲劇音樂舞蹈的入場券，好讓他們可以攜手同賞，他們和欣欣一樣，因研究戲曲，無戲不看。

　　宗蓉這篇論文的緣起，是我常在課堂上強調「排場」的重要，認爲眞正的戲曲結構在排場的處理，鑑賞戲曲也應當從排場入手。今人論戲曲結構但講情節布置，就與小說不殊；評騭戲曲優劣偏重曲文，就等同詩詞。宗蓉因此乃就二百三十五本元代和元明間的雜劇詳加剖析，將元雜劇的排場劃分標準分爲基本與變化兩種原則；歸納排場轉移爲基本模式、時空轉換、人物更替等三種模式，並討論其與套式變化之間的相應關係；而以關目分量的輕重爲首要基準，分元雜劇排場爲引場、主場、過場、短場、收場五種類型，同時討論其對全劇的作用，及其與腳色人物、套式、賓白、科汎、穿關等之間的互動關聯；而元雜劇的一個排場結構，以起中合三段式爲基型，由此又可進一步分爲單式與複式兩種結構型式。最後宗蓉又就元雜劇全本排場的承轉配搭規律加以條理，區分各類型態，從而說明各種型態對搬演效果的影響。

　　元雜劇排場的研究由我發其端緒，徐扶明先生亦有相同的見

解，現在宗蓉的這本論文可以說鉅細靡遺完完全全的把這個問題探究了；而如果能與子漢的論文並觀，則更可以相得益彰。我很高興他夫妻倆能徹底遍讀元雜劇，現在宗蓉加入我為教育部所做的「俗文學教材編輯計畫」，並且正以「元明雜劇比較研究」作為博士論文題目，進行研究；子漢則以「明清傳奇排場研究」為題，埋頭撰寫博士論文，看他們夫妻研究學問照樣相攜並舉、亦步亦趨，我不禁油然心喜。

林宗毅也是臺大中文系所到博士班一路上來，他與子漢同年級。我想他的純樸木訥是祖傳的，理由是他和李栩鈺結婚時，用了一部遊覽車把師長同學從台北請到台中，可見他一家人的誠懇；但是他和家人卻不知如何接待客人，連我這個證婚人都要在雙方家長面前自我介紹一番，也因此我常在師生聚會杯酒談心時，要他如何向人表示敬意。試想社會不離人際關係，應當要懂得起碼的應對，否則彼此就難於了解和溝通。

宗毅的性情也因為純樸木訥，所以讀起書來很能聚精會神，對於很煩瑣的問題都能耐心的處理和解決。我看清這點，所以當他找我做碩士論文時，我說，《西廂記》是北雜劇最著名的作品，版本之多，問題之雜，以及相關學術論述之難計其數，真教人望而生畏；但如果勇敢的向它挑戰，用主題學的方法，釐清《西廂記》研究的來龍去脈，逐一論其功過得失而參以己見，所謂「西廂學」必可逐步建立。我又說，你正富於春秋，前輩的成果已擺在那裏，趕緊投入，就能夠及早建立「西廂學」。

宗毅於是將《西廂記》所存在的問題逐一檢閱之後，選擇兩個問題作深入的探討，而以《西廂記二論》為碩士論文。其第一論「西廂記之淵源、改編和主題異動」，將六百年來共三十四家

《西廂記》的續作和改編本，就其本事來源、情節內容和流變歷程進行考證和分析，從而分類探討其主題異動的情形。其第二論「西廂記版本所具之深層意義」，首先觀察晚明《西廂記》傳刻本大量湧現的時代意義，其次探討晚明《西廂記》評點的發展，針對王世貞、徐渭、李贄、湯顯祖、陳繼儒等人的鑑賞性評點著眼，則可以看出戲曲觀念的演進情形，及其與人性解放的時代思潮息息相關。另外又針對金聖歎的批改《西廂》探討，掌握其底本與批評的內在模式，予以較中肯的評價；並從其律詩分解說連鎖到其戲曲分節的意義，從而印證了金氏是從「文章」的角度評析《西廂記》的藝術內涵。

　　宗毅不止檢討了臺港和大陸《西廂記》的研究情況，並且對「西廂學」也有所展望。其附錄還包括〈西廂記研究論著索引彙整〉、〈晚明西廂記版本一覽表〉、〈中研院史語所傅斯年圖書館所藏西廂記俗曲微卷索引〉，凡此都可以看出他從事學問所做的扎實功夫。他正孜孜矻矻的要完成「西廂學」的研究。

　　記得兩年前，我召集了中研院文哲所的華瑋、王璦玲和臺大的沈冬、林鶴宜、洪淑苓、李惠綿、許子漢、林宗毅等每星期二上午共同研讀戲曲，由我指定論題，大家發表心得和見解，最後我作總結。為了這樣的「讀曲會」，他們常熬夜準備，因此討論時每個人的意見都洋洋灑灑；而凡是涉及版本源流、字斟句酌的問題，幾乎就是宗毅的專長，因為他做學問是一頭栽進去的。

　　郝譽翔和游宗蓉同年級，也是臺大中文系所到博士班。她寫散文和小說已經有名氣，都得過獎；中央副刊主編梅新，常對我誇獎她。聯合副刊辦過兩岸戲曲和歌仔戲的座談會，我都推薦她記錄，瘂弦和陳義芝為此很欣賞她的文筆。最近她到聯副幫忙，

瘂弦來信說「譽翔表現極佳,眞名師出高徒也。」使我也與有榮焉。她的英文頗佳,我爲此把她介紹給魏淑珠教授,到惠特曼大學去擔任教學助理並進修一年,她閱讀英文論著的能力因此又提高不少。

譽翔所以用《民間目連戲中庶民文化之探討:以宗教、道德、小戲爲核心》作爲碩士論文,是因爲民國八十一年的寒假,我帶領譽翔等幾位同學到廣西、貴州、上海等地去作戲曲的田野調查,譽翔蒐集了不少有關目連戲、地戲和儺戲的資料;而我又認爲譽翔才學俱佳,有跨越綜合戲曲學、社會學、民俗學、宗教學的能力,所以要她從事這方面的研究。

譽翔知道目連戲在宗教祭典中上演,結合驅邪除疫和超度亡魂的儀式,保留戲劇原始的風貌,是一個「動態的文化標本」,乃從宗教、道德、小戲三方面來透視其彼此之間的關係,以及它們如何組成目連戲繁多複雜的面貌。從道德而言,目連戲充分反映庶民的倫理觀和價值觀,其體系是以父子倫爲主軸的「差序格局」,所以講究服從權威;而女性則因與生俱來的「血湖」之罪,只能寄望子嗣的拯救,才有超脫的可能。從小戲而言,因其務在滑稽,又占據目連戲演出的大半,使得觀眾在狂歡的時空中宣洩平日的壓抑,並可使原先的社會秩序獲得不斷反省與修正的機會。由於譽翔能運用中西理論,結合田野調查的成果,加上其文字清暢,所以她的論文,可讀性很高。

最近文化單位委託中華民俗藝術基金會和歷史文學會好幾個規畫研究的案子,我邀請幾位具相關專長的友人來分擔主持,而以博碩士班研究生爲專兼任助理,藉此訓練研究生田野調查和治學處事的能力。其中重要的一環是研究計畫的撰寫,我要譽翔寫

下範本並領導以協助同學，她費了很多心力和勞力才使整個委託案完成手續，如期展開工作。我想她的學弟妹們，還有待她多提攜。

　　以上對惠綿等六位我近年指導完成學位的學生，其爲人和他們所撰著的博碩士論文要旨作了簡介。惠綿現任臺大中文系副教授，欣欣現任政大中文系副教授，其餘四位都在臺大中研所博士班，子漢、宗毅爲四年級，宗蓉、譽翔爲二年級。他們都得過趙廷箴獎學金或薛明敏論文獎，在學術研究上已初步獲得肯定，我希望他們趁著年富力強，從各方面打好根基，也不要忘了我強調的「人間愉快」和「多看別人好處」的道理，那麼雲程既軔，前途必然未可限量；如此也才對得起彭正雄先生「不惜血本」地出版這套書的深意。

　　　　　中華民國八十五年八月十二日 **曾永義** *序於史坦福大學*

　　後記：這套書就要出版了，我的徒兒們都很感激也很興奮。兩三年來，他們的身分也有些變遷，許子漢、郝譽翔、林宗毅皆已取得博士學位。林宗毅現任靜宜大學中文系助理教授，許子漢和郝譽翔都在東華大學中文系擔任助理教授。游宗蓉的博士論文也即將完成。我對我的徒兒們有像父母親看孩子長大的感覺。

　　　　　　　　　　中華民國八十七年十一月二十五日

民間目連戲中庶民文化之探討
——以宗教、道德與小戲為核心

目　　錄

第一章　緒　　論

第一節　研究的背景

　　目連戲是中國戲劇史上最早的成熟戲劇。[1]目連戲的篇幅宏大，若就完整劇本而言，清代張照《勸善金科》十本共二百四十齣，是中國戲劇史中篇幅最長的一部鉅製；若就江湖演出條綱本而言，如四川高腔「四十八本目連戲」更多達一千零四十二齣[2]；若就它上演的時間而言則可以每天演出不同劇目而持續長達一年之久。[3]它流傳的年代最早可以追溯到宋朝孟元老《東京夢華錄》中的記載[4]，然後一直綿延到今日仍然上演不輟[5]，它流傳地區幾乎遍佈整個中國[6]，深入到偏遠的鄉鎮農村。它與民眾的生活息息相關，每逢重大節慶酬神還願，或掃除鬼魅祈求清吉，或喪葬儀式等多會演出目連戲以娛神娛人。所以無論是就篇幅的宏偉、歷史的久遠、影響地區的遼闊、以及與民眾生活結合的密切程度這幾方面而言，至今尚無任何一個戲劇可以與目連戲相比擬。

　　然而可惜的是，這樣一個影響深遠的文化現象卻一直未曾獲得相對的重視，以致於過去目連戲的研究幾乎呈現空白狀態。[7]歸究其原因，就是因為它出自於小傳統的庶民文化之中，相對於大傳統的士大夫菁英文化，往往被鄙視為異端或迷信；而與儒家正統規範相對照下，通俗文化也顯得滑稽突梯、褻慢粗俗。《遠山堂曲品·雜調》記敘民間目連戲的演出時云：

勸善，全不知音調，第效乞食聲兒沿門叫唱耳。無奈愚民
佞佛，凡百有九折。以三日演之，轟動村舍。

充分顯露文人對於庶民文化的貶抑，因此目連戲自然淹沒不彰。
直到近年來學界方給予民間文化正面的肯定，認爲循此途徑可以
進一步認識到長久以來倍受忽視的庶民大衆，故在此風潮下，目
連戲也引起了研究者的注意，被讚譽爲中國「戲劇之祖」和中國戲
劇的「活化石」[8]，遂開闢出一片新興的目連戲研究領域。不僅
是大陸與台灣的戲曲學者和人類學者積極地透過錄影、新編[9]、
或田野考察等各種方式，來搶救這一日益凋零的戲種，海內外也
數次以目連戲爲主題來召開學術會議，以研討此項嶄新的文化課
題。[10]

　　然而直到目前爲止，目連戲的研究尚還是停留在起步的階段，
這有幾點原因：第一、因爲相關資料取得困難，所以學者多致力
於收集劇本、記錄田野資料等工作。在劇本方面保存完整刊本的
雖有明代鄭之珍《目連救母勸善戲文》(以下簡稱《戲文》)和清代
張照《勸善金科》，但卻係爲文人案頭之作，與民間實際上演的
情況大不相同，因此研究時仍應著重民間演出本，文人劇本只能
作爲輔助參考。但民間演出本搜集不易，不僅有許多訛誤缺漏，
校訂困難，而且多只是條綱本，欠缺完整的內容，甚至科白也不
固定，多半交由演員臨場隨機應變。因此若想窺知演出原貌，必
定得參照史籍中相關記載，但史籍卻又出自文人之手，當我們
間接地從讀書人旁觀的記載中去了解庶民的思想、觀察庶民世界
時，便不免會被官方的立場和士大夫的心態所侷限。基於上述劇
本和史籍記載這兩方面的缺憾，目前學界積極補救目連戲資料上
的不足，一方面收集搶救各地方戲劇本，加以校訂整理、出版

（如民俗曲藝《目連戲劇本專輯》1994等等），一方面深入農村訪問年邁的藝人，以記錄第一手的田野調查。但這卻也使得目連戲研究一直停留在以地區爲劃分範疇的田野資料和考據之上，例如福建目連戲、四川目連戲、辰河目連戲等等，而缺乏一全面性的觀照。

第二、目前學者的看法尚存有頗多的分歧，導致目連戲的定義仍然處在曖昧未明的狀態當中。正因爲它是一個涉及戲曲、民俗、宗教、聲腔、方言、歷史、哲學等諸多學科(茆耕如1993：40)的龐大課題，可以從各角度研究之[11]，故研究的價值早已經遠遠地超出了作爲一種戲曲藝術的本身(李懷蓀1993：42)。這雖可以證明目連戲內蘊的豐富以及涵蓋層面的廣大，然而，也正因爲可資討論的角度幾乎跨伸到各個人文社會學科之中，所以反倒倍增研究的困難度：似乎採取任何一個角度都難免會產生顧此失彼、徒見片鱗隻爪的缺憾，而研究成果也容易失之零碎雜蕪。我們會發現歷來各家學者側重的是目連戲不同的層面，所以論點不免彼此矛盾，例如唐文標(1985：64)指出目連戲是一種市民的消費行爲，故娛樂性多，而勸道性少；但卻也有學者指出目連戲是偉大的宗教劇（曲六乙1991：113，周作人1993），演出的目的無一不爲宗教，娛人只是附帶的功用而已（黃文虎1988：182）。有的學者肯定其中反抗封建道德權威的片段，甚至認爲它是起義抗暴行爲的發端（劉楨1992）；但卻也有學者認爲目連戲充滿封建的糟粕，所以嘗試重新改編，以注入新的生命（蕭賽、谷雨1993）。學者們雖都分別指出某一面向，但卻只侷限在特定的角度和立場，這不僅顯示出目連戲可資探討的層面豐富多樣，也顯示出目連戲的定位問題確實還存在頗多值得爭議和討論的空間。

在上述缺乏全面性的觀照，而學者又多各執一端，致使目

連戲的定義仍曖昧不明的情況下，正如許烺光所指：「即使對大量的個案作各別詳細的觀察，仍無法使我們對於整體有適當的了解」，因此要想研究「鉅大而有文字的社會文化，我們必需注意較高層次的抽象概念，而非限於研究無文字的社會文化時所使用的實際的(down-to-earth)、數人數的(head-counting)的研究類型」(許烺光1979：69)。所以繁複的田野調查雖然可以提供詳盡的背景資料，卻仍然不能說明究竟目連戲的本質何在？也就是何以各地紛雜多樣的目連戲可以合組成一個有別於其他戲劇的獨立的議題？是否在它們之間可以尋找出共同點來？[12]而這共同點是否足以指出目連戲的特質，並作爲劃分目連戲的研究範圍？這些疑問的解決應是研究目連戲的初步工作。

第二節　研究模型的建立

一、全面模式的概念

　　目連戲在庶民社會乃構成一特殊的目連文化。因此，筆者以爲必須將目連戲視爲一個整體的文化現象，以宏觀的角度，從各地龐雜的現象之中求取共同的概念，如此方才能掌握其核心本質，然後再依此共性梳理出一道目連戲演化的脈絡，並進一步探究目連戲背後的意義、價值與社會功能。本文不從演出時間、演出目的、和演出內容這幾方面去說明目連戲的內涵，就是因爲目連戲面貌繁多，不僅在敘述上絕對無法做到面面兼顧，而且敘述者對細節大量且詳盡的描繪只會更增加混淆，反而淹沒其核心本質的呈現。在此擬借助許烺光所提出的文化「全面模式」(overall-pattern)的概念：所謂文化「全面模式」是指一社會文化的抽象核心結構，可以作爲「檢視該文化不同部分 (aspects) 或不同成分(elements)的參考點」(同上引：65-75)，這文化全面模式也就是文化的核心結構，正是研究者認識某一文化的最佳切入點。

如何建立文化全面模式呢？金觀濤、劉青峰《興衰與危機》中的整體分析方法恰可作爲參考(金觀濤、劉青峰1994：455-461)，其方法是按照如下的程序進行：

> 首先根據研究的尺度和我們要解決的問題確定整體的範圍，即明確地定義我們要研究的整體是什麼。譬如有時把社會當作一個整體，有時把一個部落當作一個整體，在另一些場合甚至把某一文化定義當作一個整體。一般說來，當研究尺度不同，或我們要解決的問題不同，對整體的定義也是不同的。但是，作爲一個有組織的整體，原則上我們可以將這個整體之所以成爲整體的各種條件列舉出來，並分析這一整體的功能。我們將這一步稱爲組織系統的整體功能和條件分析。接著，我們就應研究整體存在的必要條件和他的功能之間的關係。當整體存在的條件和功能以及它們的關係十分複雜時，我們需要將整體分爲子系統。……所謂從子系統的相互作用來把握整體，實際上是通過子系統的功能耦合分析來揭示整體的性質，指出整體爲何能存在，它的瓦解方式以及演化。

（金觀濤、劉青峰1994：457-458）[13]

上述研究法的程序可歸結爲四個要素：整體、子系統、條件、功能。首先依照整體存在的條件和功能劃分爲若干個子系統，子系統間又會互相牽動作用。在不斷相互作用的結果下，整體是一個

演化的動態過程，而非靜態的存在（a world in becoming, not a world in being）(Victor Turner 1974：24)，我們則可以經由子系統的性質和他們的相互作用來說明整體的性質（金觀濤、劉青峰1994：456），並指出整體演化的趨勢，正如許烺光所提出的全面模式一般，可以作爲研究者檢視文化如何演進滋長的標準。

二、二元子系統：道德與民間宗教信仰

歸結目連戲的整體現象，我們可依其存在的條件與功能劃分爲宗教和道德這二元子系統。首先由故事的起源而論，便可以看出道德與宗教二大元素的密切結合。目連救母故事源自《盂蘭盆經》，《盂蘭盆經》乃是佛教傳入中國時僧徒爲了調和世間儒佛的衝突所創立的新經，經中極力強調孝道的思想，目的在讓注重倫理道德的中國人民更易接受外來的佛教（陳芳英1983：2）。所以就故事起源而論，目連救母故事與佛教確實具有密切的血緣孳乳關係，然而就其傳播的目的與過程而言，與其說目連故事源自於佛教，實際上還不如說它是一個佛教中國化的產物，也就是將佛教故事納入中國儒家倫理的結果。[14]透過目連故事，佛教不僅調和儒家道德而得到中國人民的認同；儒家道德也因此得到佛教超自然神權的支持，雙方相輔相成，而成爲調和儒、釋的良好題材，得到了歷代封建統治者與佛教人士的提倡(胡士瑩1980：25)。

因此目連戲成爲宗教活動和道德教化重要的一環，明崇禎四年(1631 A.D.)蒲興古寺前石碑的記載可窺民間演出的大略：

> 蒲興古寺爲闔市禮佛聖地，每年中元節，内修盂蘭盆會，超度傷路亡魂，使生輪回天界，免得孤魂流離，俾建善姓，因果圓滿之日，高掛郁氏幢旌，預期演唱四十八本目

連戲曲，忠孝節義，普勸善緣。（引自劉禎1992：29）

顯示目連戲進入民間後，與盂蘭盆會等宗教活動相結合，而碑文中所云「忠孝節義」以及「普勸善緣」，正道出其發展軌跡始終環繞著道德和宗教這二大主旨（圖一），因此本文設立此二者為目連戲二元子系統，以為研究的核心和切入點。

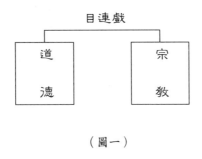

（圖一）

目連戲故事雖起自儒佛二者的融合，但傳播土壤卻在庶民社會，所以民間目連文化中的宗教信仰和倫理道德是否仍然保持著佛教和儒家經典的面貌呢？還是已經有所變異，在民間形成新的文化形態？這便牽涉到中國社會大傳統主流文化與小傳統庶民文化之間的關係。

三、大傳統與小傳統的交融

針對上述問題，我們必需先釐清中國社會中大小傳統的分野：大傳統與小傳統的概念為R.Redfield提出，他認為在一文明中，大傳統是屬於「深思的少數人」底，而小傳統則是屬於「不思的多數人」底。日人務台裡次則把這兩個名詞翻譯作「高次元傳統」和「低次元傳統」，並解釋「高次元傳統」是形成一民族精神的最

高目的、最高要求、乃至於人生的最高修養,「低次元傳統」是大眾因襲的風俗習慣;而「高次元傳統」中必有若干思想為「低次元傳統」的指導原理與信念(鄭志明1986:349)。葉啟政則區分為「核心傳統」與「邊陲傳統」,並解釋二者的差異:「核心傳統的影響力廣泛且深邃,滲透到社會上的每一個角落,而且持續的時間久遠,譬如中國世代相傳的儒家思想;至於「邊陲傳統」則雖也相傳已久,並且相當廣泛地流傳,但是其所具之象徵意義的統攝力卻相當有限,影響力往往狹圍,也非深遠,所以容易萎縮,甚至銷聲匿跡,譬如布袋戲或南管等傳統地方戲曲(葉啟政1984b:79-80)。

綜上說法,相對於小傳統(或邊陲傳統)的庶民大眾,大傳統(或核心傳統)乃由社會菁英分子所組成,而為經濟、政治、文化的中心,具有指導和統攝小傳統的力量,所以它們並非對立開來的兩個階層。金耀基論及中國農村社會時便指出:

> 農村社區的文化……不是自主的,它是文明的一個面向或次元。由於農村社會是一「半社會」(half-society),所以農村是一「半文化」(half-culture)。當我們研究這樣一個文化時,我們會發現兩件事,這是孤立的原始社會部落所無的。第一,我們發現,為了維持它本身,農村文化需要與外在的地方社區的思想保持連續溝通……第二,農村與文明的中心不斷地交互行為。(金耀基1992:53)

故古典中國的農村社會乃是一個「複合的農村社會」(compound peasant society),係由士人與農夫組成,是一個大傳統與小傳統彼此溝通而形成底文化的社會結構(同上引:54)。

所以當我們把目連戲放入大傳統與小傳統的架構中時,關係

位置應如下（圖二）：

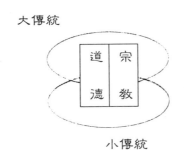

大傳統

道德　宗教

小傳統

（圖二）

鄭之珍《戲文》和張照《勸善金科》出自文人手筆，應歸屬於接近大傳統的位置；而偏遠鄉野間的儺壇目連戲[15]則應置於接近小傳統的底層，如此一來便可發現因為階層不同，其中道德與宗教信仰也會隨之變化。接近大傳統的鄭本《戲文》和《勸善金科》強調的是儒家倫理道德，至於宗教則為佛教信仰，相反的，位居於小傳統底層的儺壇目連戲卻多只有簡單的道德條目，缺乏深入的內容，其宗教行為則充滿鬼魅禁忌和功利傾向，多結合驅邪除疫的儀式演出，原始宗教色彩十分濃厚，取代了大傳統中佛教經籍的信仰。

依循大小傳統的階層區分時，還可發現一個現象：靠近大傳統者所著重的是道德教化，超自然的宗教色彩則十分淡薄，例如鄭本《戲文》就明白指出主旨是在勸說孝義[16]，《勸善金科》更大力宣揚倫理道德，乃為鞏固封建統治階級而作[17]，這兩齣劇中道德的地位顯然都遠勝於宗教。至於位居小傳統的鄉野儺壇

小戲則著重宗教上驅邪除疫、祈福還願的功能，對於道德反而較少著墨，甚至滑稽小戲的部分有反道德的傾向（詳見第四章），顯然大傳統中道德居於主導的地位，宗教只是扮演輔助的角色。但在小傳統中情形恰好顛倒，宗教可以滿足人民的實際需求，所以成為主導，而道德則反居陪襯（李亦園1982：90）。因此上述目連戲的研究模型應該修正如下（圖三）：

大傳統

道德

宗教

小傳統

（圖三）

所以依照大傳統、小傳統以及宗教、道德這二層標準來區分，前述第一節中有關目連戲的矛盾論述就可以獲得一一釐清：就接近大傳統的目連戲而言，由於著重道德倫理，所以被視為統治階級教化民眾的手段，一方面既肯定它具有教化人心的功效，但另一方面卻也遭學者批評為充滿封建餘孽，是遭統治者利用的工具。就那些處於小傳統中的目連戲而言，由於充滿原始宗教的神秘色彩與庶民文化中脫離禮教約束的狂熱特質，所以一方面文人鄙棄為粗陋迷信，官府數度禁止演出[18]，但另一方面卻也因

而被學者贊揚是人民起義反抗統治權威的先鋒，譬如周貽白就認
爲統治者雖然利用目連戲作爲教化的工具，但民間卻將文人說教
的成分沖淡，採取了另一種形式來與統治者「進行鬥爭」（周貽
白1982：15）。因此大傳統著重的是道德層面，目連戲便成爲教
化民心的工具；而小傳統則著重在符合人民實際需求的民間宗教
上，所以它的目的便在驅邪除疫、超度亡魂，以滿足宗教的功
能。根據上述指標，我們遂可以清晰見到目連戲演變的規律，釐
清它多種層次的面貌。

第三節　理論架構

　　姜士彬（David Johnson）(1989)指出目連戲中行爲(action)
遠比語言重要，所以研究時應由它的表現形式來著手。田仲一成
描述新加坡莆仙目連戲時說道：

> 目連戲與法事齊頭並進，法事中有目連戲，目連戲中有法
> 事，兩者呼應，溶爲一體，難以分辨。所以此處目連戲與
> 其說是「戲劇藝術」，毋寧說是「宗教儀式」更爲妥當。
> （田仲一成 1988：28）

不僅新加坡一地，各地目連戲劇成分或多或少，但共同的特色都
在演出時混合驅邪除疫、祈福還願的宗教儀式，藉由戲劇來推動一
連串儀式的進行，因此可以說是一種儀式戲劇[19]，與戲院舞台
上演的戲劇大不相同。Victor Turner曾提出「中介」(liminal)
和「類中介」(liminoid)的概念，來說明儀式戲劇與商業戲劇的
區別：所謂「中介」現象是人們全面性、義務性的參與，反映的
是一個社區長期累積下來的經驗；而「類中介」現象則傾向個人

專業藝術的領域，顯示出在文化市場競爭下的風格或口味（何翠萍1984a：24-25）。相形之下，屬於「中介」行爲的儀式戲劇，要比舞台上作商業性質演出的戲劇更能反映出社會集體的心理、信仰、與想願，故「中介」與「類中介」二者意義不同，討論時不容混淆。[20]目連戲與宗教儀式相結合，顯然具有濃厚「中介性」特質，而它最具意義的特點也在此，姜士彬(David Johnson)探討中國庶民文化時便以爲戲曲(opera)不只是文字(words)而已，動作(guesture)更是其中重要的成分，所以它影響的階層涵括了受過教育(literate)的菁英(elite)以及處在社會底層那些未受教育(illiterate)的庶民(non-elite)，是我們認識中國庶民文化的最佳範本，也可以說是中國近代文化的基礎成分（a fundamental element of late imperial Chinese culture），他更進一步指出透過結合戲曲與民間宗教(popular religion)的儀式戲劇，例如目連戲，就可以認識到中國庶民文化的心靈(mentalities)（David Johnson 1980）。尤其對那些平日無力作商業性消費的庶民而言，特別能夠透過這種與宗教祭典相結合的戲劇獲得莫大的娛樂，因此目連戲演出時迎合的是農村庶民的口味，雖然以藝術觀點衡量自是粗鄙無文，但卻是我們了解庶民文化的最好範本，實不宜以舞台戲劇所講求的音律、結構、詞藻、作工等標準來苛求。因而本文的研究對象乃以小傳統的民間目連戲爲主，而鄭之珍以大傳統文人的角度，根據民間地方戲所作的改寫本《戲文》則可以作爲輔助參考，至於文人新編或是京劇、崑曲等等的目連，則已經被吸收到「類中介」藝術領域之中，在城市舞榭勾欄上呈現出的是另一種風貌，故不在本文研究範圍之內。

學者討論中國宗教儀式時多採用 Van Gennep「通過儀禮」

（rites of passage)的觀點(P. R. Katz 1994：1020-1021，黃美英
1985：31-32，王天麟1994：62-23)，認為儀式經過了「分離」(sepa-
ration)、「變換」(transition)、以及「整合」(incorpora-
tion）這三個階段(Van Gennep 1960：11)。為了解釋儀式乃是社會
由分離到整合之間的一個過渡階段，Van Gennep同時還提出「中
介性」(liminality)的概念，以用來描述儀式由日常生活中脫離
之後，尚未重新整合回日常生活步調之前的秩序顛倒或混亂的特
質（何翠萍1984a：23)，他並把上述儀式的三階段分別稱為「前
中介」(preliminal)、「中介」(liminal)、和「後中介」(post-
liminal)(Van Gennep 1960：11)。但Katz以為「通過儀式」的三階
段理論並不見得適用於討論中國的宗教儀式：[21]「通過儀式」
強調的是個人(individual)如何進行社會地位的轉換，但不能說
明儀式對於社會群體的重要性和必要性，因此中國驅邪除疫的儀
式應該是屬於Victor Turner所提出的「消弭災難的儀式」(rites
of affliction)(Victor Turner 1967：9-15, 282, 322, 360)，目的
不僅是在消除個人或社區的疾病(ailments)，而且也在解決社會
的毛病或問題(social problems)（katz 1994：1014-1026）。

　　但不論是「通過儀式」或是「消弭災難的儀式」[22]，都代
表儀式是一個社會秩序由混亂到整合的過渡性階段，所以涂爾幹
認為宗教是一種鞏固社會生活的象徵性手段，當它實際運用時早
已抽離宗教傳統中的知性內涵(Victor Turner 1974：56)。Victor
Turner承繼上述觀點，認為所有儀式都是一種「社會戲劇」(so-
cial drama)，也就是一種社會運作的過程，它包含了下列四個
步驟：一、規範的破壞(breach)；二、危機的產生(crisis)；三、
雙方設法彌補或妥協(redress)；四、最後不是重新整合(re-

integration)就是分裂(schism)(ibid：37，何翠萍1984a：28)。這
正如Van Gennep視儀式爲混亂到整合的過渡階段，所以Turner進
一步發揚 Gennep 的「中介性」理論：認爲儀式是一個「中介」
的狀態，這種「中介」現象是大衆集體的、義務的全面性參與，
它往往在社會過程的危機出生，如瘟疫、天災，或與社會結構的
循環有關，如死亡。在這種時刻，儀式發揮「淨化」的功效(ca-
thartic effects)(正如Katz所指清除社會的毛病或問題)，它能
誘導人們去做他所應該盡的義務，使得社會需求反而成爲一項可
欲，以消除個人利益與社會利益的衝突，而轉化(transform)了
社會的情境(Victor Turner 1974：56，何翠萍1982：64)。

　　至於社會秩序的整合過程是如何呢？ Turner 提出「結構」
（structure）和「非結構」（unstructure）來說明社會由混亂
到整合的過程。所謂「結構」是一個具有結構化(structrued)、
分化(differentiated)、和階層化(hierarchical)體系的社會，
具備明確的價值標準。而「 非結構 」則是指處在「 中介狀態 」
（liminality）之下的「共同體」（communitas），共同體中的
每一個人都是平等地臣服在新的儀式秩序當中(Victor Turner 1969：96,
1974：273)，這時社會結構原先具有的秩序、價值被重新提出來
檢驗，解釋、批評，而新的倒反的秩序、價值被假設性地提出、
表演，打破了原先社會文化階級限定的角色和規範（何翠萍1984b：
60）。因此社會就是「結構」和「非結構」的「共同體」兩種連
續局面的辯證過程（Victor Turner 1969：203），在這種過程中因爲
群衆的情緒在非結構的共同體得以宣洩和淨化洗滌，社會秩序反
而再一次受到肯定(ibid：176，何翠萍1984b：61)，大傳統也就可以
控制住小傳統對社會不滿的反抗情緒(Victor Turner 1974：188)。

　　相對於「結構」與「非結構」，李豐楙(1993)則以「常」與「非常」這一相對的概念，更鮮明點出「日常生活」常軌與「宗教儀式」中的脫序此二者的對立，並認爲「常」與「非常」的對比，正代表著大傳統儒家「禮樂文化」和小傳統「庶民文化」兩種對立卻又可以妥協的文化觀，這二者的輪迴循環形成了社會一張一弛的交替狀態。故阮昌銳（1982：185-187)指出宗教反常儀禮其實是一社會衝突制度化的表現，可以視爲對道德價值和社會秩序在允許違背和控制維繫的一種溝通方式，而具有促進社群團結整合、鞏固社會規範、以及達成社會和諧等的功效。

　　因此宗教儀式可說是發生於街頭、群衆進入秩序解放的集體行爲，Bakhtin(1984)稱之爲是「嘉年華」式的哄笑(laughter)，特徵就是極度的狂歡與縱慾、敗德及墮落。然而我們若純粹將宗教儀式視爲是一種鞏固原先社會秩序規範的手段，未免將問題過於簡化，誠如上述VictorTurner所說儀式的第四個階段不是「整合」就是「分裂」，可見在儀式的過程之中，大小傳統的秩序也會逐漸修正，而尋覓到一個新的平衡點，若是雙方協調失敗，則小傳統庶民反而會激發出巨大的潛能，具有顛覆的革命性力量，而造成雙方的分裂，打破原先的秩序而重組。John Fiske(1993：117,20)在討論西方「嘉年華」(Carvinal)慶典時便特別指出，透過這一行爲，庶民事實上獲得的是打破秩序束縛之後一自由奔放的愉悅，同時它更足以轉化成爲反抗宰制威權的創造性手段，因此，庶民文化的價值就在於它深具進步的潛能，而我們可以藉此在庶民經驗中發現改變社會的可能性，以及造成此一改變的動力、活力、生命力。由此可知，所謂「整合」，並不見得就是整合到原來的規範秩序之下，而是透過這一項儀式行爲，大小傳統

無須透過激烈的革命手段，就可以重新尋覓到一個更佳的組合方式，藉此而達到雙方的和諧，這也正如前述 Victor Turner 以爲社會是「結構」和「非結構」兩種連續局面辯證下的過程。因此社會是在不斷變動當中，絕非回到原點，而庶民宗教儀式可說相當於一股溫和的革命力量，社會便在這一張一弛的交替循迴當中，得以逐漸進展演化。

　　在確立上述研究模型與理論架構之後，本文所欲探討的主題有如下幾點：

　㈠目連戲中的「宗教」究竟呈現出何種樣貌？是否爲儒、釋、道三者之一，或是其他？它究竟有何別於其他戲劇的宗教特徵？

　㈡目連戲以勸善爲宗旨，但它所宣揚的道德是否就是儒家倫理？這套道德體系由大傳統儒家進入小傳統之後產生何種變異？它與佛教出世的道德是否衝突[23]？而道德和宗教二者之間又有何種相互支持的關係？

　㈢宗教與道德雖然是目連戲的二大子系統，但是我們卻可以在諧謔小戲的部分裡看到潛藏著反宗教和反道德的意識，這些反常的部分（阮昌銳1982）與演出主旨明顯矛盾，所以往往使旁觀的採錄者感到驚訝錯愕，但鄉人卻視爲理所當然（李豐楙1991：202）。這些滑稽小戲有何意義？它們如何融入具有濃厚宗教與道德意味的目連戲演出之中，卻又不產生扞格？

　㈣目連戲在大傳統與小傳統間扮演什麼角色？發揮何種功能？在庶民社會中，除了表面除疫驅邪的宗教功能之外，它是否具有更深一層的文化和社會功能（Katz 1994：1018），所

以才能在農村持續盛行千年之久？但是爲何它又會在現代
社會中萎縮消退？

【註釋】

[1]任半塘《唐戲弄》第二章〈辨體·弄婆羅門〉：

> 近人但知北宋東京勾欄內已演《目連救母》雜劇，並推爲我國戲劇具
> 體形成之最早者，其實唐代不但有《目連變》，且在初唐可能即已有
> 目連皈依之歌劇，由梵劇編譯而成。

這種說法雖尚待考證，但可見目連戲起源之早，甚至有前推至唐代的可
能。

[2]川劇四十八本目連戲《連臺戲場次》記載《大發猖》一本九齣、《佛兒
卷》一本二十齣、《西遊記》四本九十七齣、《觀音》三本七十四齣、
《封神》十二本二百八十三齣、《東窗》十二本二百九十三齣、《臺城》
三本六十五齣、《目連》十二本二百五十一齣，總共八種四十八本一千
零九十二齣。

[3]民國十七年至十八年間四川宜賓搬演目連戲，每天上演不同劇目，先
後歷時一年另三個月，詳參嚴樹培〈敘府民國年間的一次搬目連始末〉
（1993）一文。

[4]南宋孟元老《東京夢華錄》卷八「中元節」：

> 七月十五日，中元節。……構肆樂人自過七夕，便搬《目連救母》雜
> 劇，直至十五日止，觀者增倍。

是如今所可考知有關目連戲的最早記載。

[5]近年來各地仍然可以見到目連戲的演出，例如一九八九年湖南懷化地區
藝術館所組織的辰河目連戲高腔演出(李懷蓀1992a)，或容世誠、張學權
所調查的一九九三年馬來西亞三教堂的目連傀儡(容世誠、張學權1994)；

台灣方面則多夾雜在喪葬儀式中進行，如李豐楙(1992)、王天麟(1994)及邱坤良(1989)。

[6]全國各地幾乎都有目連戲演出的記載，尤其是南方諸省，如四川、湖南、湖北、江蘇、江西、安徽、浙江、福建等地(劉禎1992：32)。

[7]台灣早期與大陸相隔絕，所以在目連戲版本的蒐集、背景資料的取得都付之闕如，在缺乏這些必備條件下，目連戲研究幾乎一片空白，直到一九七七年陳芳英台大中文研究所碩士論文《目連救母故事之演進及其有關文學》才算奠定基石，但此後目連研究仍遭學界忽視。直到兩岸開放，再加上西方人類學、民俗學等人文科學的刺激，帶動民間文化研究的熱潮，目前與目連戲主題相關的大型研究計劃有二：一是國科會補助「傳統戲曲研究之二：目連戲研究」；另一則是蔣經國國際學術交流基金會補助的「中國地方戲與儀式之研究」。上述兩項研究計劃均由清華大學歷史研究所王秋桂教授主持，研究成果正陸續交由《民俗曲藝》出版中。至於大陸方面，以探討目連戲作為學位論文的只有二本：朱桓夫南京大學碩士論文《目連救母勸善戲文之研究》，以及劉禎中國藝術研究所戲研所博士論文《目連戲研究》。

[8]北宋末年中國才有完整的戲劇，但是根據《東京夢華錄》的記載北宋時已有連演七天的目連戲，可見當時目連戲已經發展相當成熟，所以學者譽其為中國戲劇的始祖(唐文標1985)。又因目連戲扎根民間，經過數千年仍然大量保存原始的風貌，根據學者考證：莆仙目連戲以及河南目連戲都與宋代雜劇的演出非常相似，是宋雜劇的活化石（趙日和1990；鄧同德1982：211）；也有學者指出如莆仙戲《目連救母》、江西南戲《目連救母》等都保存了早期南戲的形態（劉禎1992：23-24），有助於我們對戲曲起源、形成、和演變的了解。

[9]學者不僅整理目連戲劇本，也積極組織老藝人演出、錄影：例如一九八

九到一九九〇年泉州木偶戲劇團錄像演出的《目連救母》(張泉悌1991)；
一九八四年湖南省戲曲研究所刪改祈劇《目連傳》原本，然後組織老藝
人演出，並錄像保存（茆耕如1993：309）；以及一九九四年台北「中國
祭祀儀式與儀式戲劇研討會」中容世誠播放的馬來西亞三教堂目連戲錄
影帶。為了賦予目連戲嶄新的舞台生命，劇作家也針對這古老的題材加
以改寫：如蕭賽《目連救娘》根據原作濃縮情節，或者如嚴淑瓊《劉氏
四娘》則大膽拋棄古本，創新情節(蕭賽、谷雨1993)。

[10]學術會議在大陸方面有：一九八四年湖南祁陽「目連戲學術座談會」、
一九八八年安徽祁門「鄭之珍目連戲學術討論會」、一九八九年湖南懷
化「目連戲學術研究討論會」、一九九一年「中國南戲暨目連戲國際學
術研討會」、以及一九九三年四川「四川目連戲國際學術研討會」。國
外方面則有一九八七年美國加州柏克萊大學的「目連戲國際研討會」。

[11]王秋桂(1992：2-3)指出目連戲的研究至少可從四方面著手，簡述如下：
　　1.外圍的研究：從歷史、地理背景、經濟、社會及政治的影響來看目連。
　　2.民俗學的研究：目連戲呈現各地區特有的風俗、習慣、信仰及生活百
　　　態。
　　3.人類學的研究：目連戲中儀式的性質、意義、和功能。
　　4.戲曲藝術的研究：探討聲腔、戲劇的起源，以及劇場的研究。

[12]姜士彬 (David Johnson) 指出目連戲面貌雖然繁多複雜，但是在其中我
們必定可以歸納出一個代代流傳下來的共通概念或要素（ shared con-
ception or common elements)，它們以不同的方式在不同的地方結合、
發展 、 演化，例如在各地目連戲都見到的「發五猖」或「劉氏逃臺」
或「女吊」等。這些共通處構成了目連戲舞台上的中心場景（ central
scenes)，借此我們可以探索中國庶民文化中基本的想法(basic ideas)
和共同的價值觀 (shared values) (David Johnson 1989)。姜氏經由實

際的演出(performance)而歸納出共同場景， 本文則是採用不同的方法
入手，嘗試建立抽象的架構（見第一章第二節），以探討目連戲共通的
本質。

[13]金觀濤、劉青峰採用Parsons結構功能論觀點，推演出「整體分析」的研
究法來說明中國封建社會結構的穩定性和脆性，及其循環演化的模式。
結構功能論者認爲任何結構體系內部的部分元素之間都是互賴互動的，
它們必然要互相調整，以維持整體來完成共同目標，因此，社會結構是
遵循一定的軌跡在運作、變遷，目的則在達到整體的整合(integration)
與均衡(equilibrium)(葉啓政1984a：9-10)。由於目連戲牽涉範圍的廣
大和歷史的悠久，可以說是庶民社會文化的良好標本，所以本研究嘗試
將其視爲社會整體的文化現象，運用上述「整體分析」方法討論它核心
本質間相互運作的過程，以說明爲何目連戲能持續綿延數千年之久，以
及它演化的趨勢和衰落消褪的原因。

[14]中村元認爲中國佛教與印度原始佛教有很大的差異，主要原因就在中國
佛教欠缺人格對應和自覺的氣氛(中村元1999：14)。中國化的佛教吸收
了儒家的倫理道德體系，著重在現世社會中克盡人的本分和義務，自然
缺乏原始佛教著重個人精神以及肉體尋求解脫的超越精神。冉雲華以爲
「中國佛教人士，在中華傳統重孝的壓力下，將孝道在佛教中的地位，
上昇爲至德之要道」（冉雲華1990：119），故目連救母故事中爲母出家
的事蹟也受到儒佛二家一致贊揚。除了目連戲是佛教倫理道德觀中國化
的結晶之外，胡天成並進一步指出儒、釋、道三教倫理道德交織融合的
關係(胡天成1992：69、84)，詳見第三章討論。

[15]儺壇目連戲有如川北燈戲《劉氏回煞》、蓬溪儺戲《劉氏四娘哭嫁》、
梓潼陽戲《目連僧游六殿》、巴縣陽戲《梅花姊妹》、瀘州師道戲《朝
橋拜塔》《血湖報恩》等等，多在交通閉塞、巫風盛行的窮鄉僻壤中演

出，結合驅邪儀式，目的在祈神還願、超度亡魂或是醫治疾病，演出者多為端公法師，深具原始宗教的神秘色彩(杜建華1993：220-251)。

[16]鄭之珍《目連救母勸善戲文》卷下〈開場〉道：

> 新編孝子尋娘記，觀者誰能不悚然。據實跡，搜陳編，括成曲調入梨園。詞華不及西廂艷，但比西廂孝義全。

而且劇中〈過奈何橋〉一折將孝子、忠臣、節婦視為上等人，和尚尼姑則為中等之人，都明白顯示出作者將道德置於宗教之上。

[17]《勸善金科》乃張照奉旨而作，「凡例」中云：

> 《勸善金科》，其源出於《目連記》。《目連記》則本之《大藏·孟蘭盆經》，蓋西域大目建連事跡，而假借為唐季事，牽連及顏魯公假司農筆，義在談忠說孝。

可見主旨在闡揚忠孝。周貽白(1979：393-394)並批評道：

> 《勸善金科》這部大戲，……想用神道設教的辦法來鎮壓人心。勸善，實質上就是要制止當時人民對清廷的反抗，而戲中關目，利用懲惡作為對比，如「妖言惑眾」、「調唆鎮壓」之列入十惡，已足以看出其面目之猙獰和手段之毒辣，無非為了擁護其封建統治階級的利益而已。(周貽白1979：217)

[18]清代官府曾數次禁止民間目連戲演出，可知記載有《培遠堂偶存稿·文檄》卷十四〈陳宏謀禁止賽會斂錢示〉(王利器1981：109-110)、《重論文齋筆錄》卷一〈李亨特知蕭山禁演《目連救母記》〉(同上引：127)、《示諭集鈔》〈禁目連戲示〉(同上引：161)等，詳見第四章討論。

[19]邱坤良定義儀式劇為有關「除煞」、「祈福」的劇目表演，它與時間的循環配合，什麼時間、什麼場合裡需要什麼表演都有一定規範，它的整個過程實際是由演員和觀眾(或地區民眾)共同參與，透過演員的溝通、穿演，台上台下齊力驅除邪煞，迎接福祥，藉由戲劇的表演形式來進行

宗教儀式(邱坤良1986：104)。

[20]四川中江縣發現一個非常特殊的《目連救母》劇本，它的情節內容大異
迄今所知的目連戲。劇中劉氏四娘一心爲善，卻遭遇橫禍，故特意開葷
來抵抗神明，並在地獄中義正嚴辭地舌戰閻王，結果被打做金獅犬，不
得超身，而羅卜在獄中尋得母親後，放棄地藏王菩薩的尊位，變成一個
笑和尙，永伴獅犬終生（杜建華1993：187-189）。劇中雖具有強烈反宗
教的意識，但我們只能把它視作一個例外情形來看待，而不能因爲其中
具有反封建的進步思想，就把它視爲是目連戲的菁華之作。因爲必須特
別注意此劇結構完整固定，沒有任何宗教儀式，所以應該屬於以商業演
出爲目的「類中介」的藝術，可能出於民間某位文人有意識的創作。這
種個人的「類中介」藝術，與目連戲出於群衆集體的「中介」本質大不
相同，故內容產生兩極化的差異，研究時不宜混爲一談才是。

[21]康豹(Paul R. Katz)認爲「通過儀式」的三階段論不完全適用，因爲很
多驅邪儀式明顯缺少了第三階段的「整合儀式」(rites of incorpora-
tion)（Paul R. Katz 1994：1021）。而宋錦秀闡釋傀儡戲的「除煞儀
式」時也修正「通過儀式」的論點，認爲「除煞儀式」中三階段的順序
應改爲「變換」(transition)、「隔離」(separation)、整合(incorpo-
ration)(宋錦秀1992：152-157)。因爲所謂儀式三階段論仍頗有爭議，
所以本文不區分儀式中三個階段的面向，只是將其視爲社會由混亂到整
合，脫離常軌的一種過渡狀態與過程，並討論它如何藉由驅邪逐疫的方
式去整合社會秩序。

[22]宋錦秀研究傀儡戲的除煞儀式時認爲，除煞儀式就是「消弭災難之儀
式」(宋錦秀1992：146)，同時就除煞前、除煞時以及除煞後這三個階
段而言，又可以算作是一種「通過儀式」(同上引：152)。所以若就整
個社會經由儀式從混亂回歸到和平的過程而言，「通過儀式」和「消弭

災難之儀式」顯然有相通之處，不同的是「通過儀式」比較重視社會中個人地位的轉換，而「消弭災難之儀式」則重視社會集體意識的淨化和整合。

[23]王嵩山〈台灣民間戲曲的形式與意義〉一文也提出類似的問題，認為「不但要思考儒家的先驗的道德體系如何在漢民族心中運作；亦應考慮道家的存在與超越的理解體系，如何與儒家的體系互動，而形成了整個博大精神的文化內涵，這是我們將可致力探討的」（王嵩山1984：96）。儒家入世的倫理與佛家出世道德調和的問題，詳見第二章討論。

第二章　目連戲中的宗教

　　許多學者稱譽目連戲爲中國最偉大的宗教劇（鄭振鐸1957：
233-234，譚正璧1957：197，周作人1993），但卻多從目連戲有關佛
教的內容和在宗教節日上演這二點去說明這項宗教特質[1]，問題
在於若以此作爲衡量的標準，那是否一切與佛教故事有關，或是
在廟會中搬演的戲都可以稱之爲宗教劇呢？所以宗教劇一詞顯然
十分含糊。到底宗教是指哪一個宗教？是佛教、道教或是其他？
內涵如何？就目連戲而言，顯然就不只限於弘揚佛法如此單純而
已。宗教劇一詞雖存在許多問題，但爲何學者多特別標舉出目連
戲宗教的一面？是否它具有別於其他戲劇的宗教特徵？這些是此
章所欲探討的幾個問題。

第一節　「混合宗教」

一、「混合宗教」的特色

　　就第一章研究模型中的宗教部分來看（如圖一），可以發現
越往小傳統發展宗教的成份就越加濃厚，而往大傳統則恰好相反，
這種現象顯示出大傳統與小傳統之間的重要差異：大傳統是以理
性的人文思想爲核心，而小傳統則反其道而行，乃以宗教信仰爲
主(鄭志明1986：352-353)。

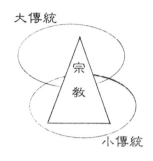

（圖一）

明顯的例子有莆仙目連戲多把鄭之珍《戲文》中有關道德教化的部分刪去，譬如觀音勸化十友從善等等情節，而添加入大量宗教祭儀，譬如「開場超幽」、「閻王接旨」、「目連超荐」等（田仲一成1988：240-241），使得劇中的人文道德意味非常淡薄，大異原來鄭本教化人心的旨趣。在上述差異之下，大傳統知識分子往往以西方宗教的理性主義爲標準，認爲中國沒有宗教，至於民間宗教只能算是「左道惑衆，擾亂治安」的巫術迷信，不値一提。這雖是一偏之見，但卻也指出一個事實：雖然蘊含深厚哲理的佛教傳遍中國，但是影響所及的卻只有少數的知識份子；若就眞正影響廣大民衆的民間宗教而言，其中原始巫術的成分卻遠遠超過對宇宙人生的思考與關懷。因而學者據此指出中國宗教具有濃厚的功利主義傾向(李亦園1982：90)，甚至是讓人民陷入迷信宿命觀點之中的鴉片煙(秦家懿、孔漢思1989：46)。

這並非代表民間宗教只有巫術迷信等狂熱特質，誠如第一章所論大傳統具有統攝指導小傳統的能力，民間信仰自然也承繼了佛教、道教等主流文化的某一層面。楊慶堃即指出中國宗教這一

混合相容的特徵，他認爲相對於「組織性宗教」(institutional religion)[2]，如西方的基督教、回教等，中國的宗教乃是一種「混合宗教」(diffused religion)，它缺乏一套獨立的神學體系(theology)、人員組織、祭拜儀式以及信徒，所以無法獨立存在，必需混合(diffused)入其他世俗社會組織的結構和理念之中一同運作。例如在祭天大典中天子以祭師的身份主持祭儀；而在家族祖先崇拜的祭祀儀式中，僧侶集團則轉換爲主祭的家族長輩；或是社祭時參與的會衆爲社區成員等等，都是宗教與社會世俗組織混容不分的情況。因此一個位居中國大傳統的「組織性宗教」雖然很容易觀察到（如道教、佛教），但卻不重要；而一個「混合宗教」雖不明顯，潛藏小傳統之中，卻在庶民日常生活中占據著關鍵性的地位。因此「混合宗教」混雜了「組織性宗教」如佛道的理論、神明、儀式、祭師，而「組織性宗教」也借由支持「混合宗教」而得以繼續存在和發展，這兩種宗教形式在中國宗教生活的功能角色上遂有彼此互相依賴的緊密關聯(Yang 1961：294-309)。

二、佛教的源頭

　　說明過中國民間「混合宗教」的特色之後，再回過頭來看目連戲中的宗教，就可以得到一個層次較爲清晰的理解。目連戲起源於屬大傳統的佛教，不僅故事情節出自佛經，甚至任半塘《唐戲弄》(1985：653-654)中考證目連戲亦是源自印度古詩人馬鳴所作的梵劇《舍利佛所行》，乃初唐之時（或更早之時）經由來華的婆羅門僧侶傳入。姑且不論任氏的說法是否屬實，都多少可以見到目連戲與佛教確實有密切血緣孳乳的關聯，所以當然也就繼

承了佛教的某些理念。其中較爲顯著的特色有如下二點：

　　㈠**目連戲始終配合佛教盂蘭盆會的活動而搬演**。從目連故事的原始雛形《盂蘭盆經》(陳芳英1983：10)開始，七月十五設盂蘭盆以供養十方佛僧就是目連救母故事的主題之一。同時七月十五日亦是道教的中元節，故盂蘭盆會結合道教的齋醮法事，成爲民間祭祀祖先、超度孤魂的重要固定祭典，而中元節也就成爲目連戲主要搬演的時間，例如宋孟元老《東京夢華錄》卷八〈中元節〉中所記載「構肆樂人自過七夕，便搬《目連救母》雜劇，直至十五日止」，或是清代同治十二年《祁門縣志》卷五〈輿地志·風俗〉：「七月中元節祀祖，設盂蘭盆會，閏歲則於是月演劇，名目連戲。」(引自茆耕如1993：147)，鄭振鐸《中國俗文學史》第六章〈變文〉也提及民國以來「各省鄉間尚有在中元節連演目連戲至十餘日的，成爲實際上的宗教戲」。不僅上演時間與佛教盂蘭盆會、道教中元節相搭配，目連戲的最末一幕通常就是盂蘭盆會超度孤魂的法事，將法事搬上舞台與戲劇的演出一併進行，例如《戲文》最末齣的〈盂蘭大會〉，湘劇《目蓮記》的〈盂蘭會〉、或莆仙戲《目連救母》的〈蘭盆盛會〉等等[3]，都可見目連戲始終與佛教盂蘭盆會緊密結合。

　　㈡**佛教天堂地獄、因果輪迴的概念**。此二概念乃是佛教傳入中國的產物(宋光宇1984：3)，並爲道教所吸取採納(秦家懿、孔漢思1989：154)，成爲民間接受佛教信仰時所偏重的側面(孫昌武1989：5)。天堂地獄、因果輪迴概念雖在佛經和變文的目連故事中就已經出現，但卻較爲抽象[4]，到目連戲中則更加運用具體的手法擴充渲染之，例如在《戲文》或是《超輪本目連》中詳盡刻劃劉氏過奈何橋、孤淒埂、滑油山等，或是目連從地獄一殿到十殿尋母，

以及目連挑經挑母上西天所經過寒冰池、火焰山、爛沙河等，或是如經常進入目連戲劇目之中的《唐太宗游地府》《西遊記》等等，均是具體描繪進入天堂地獄的歷程（詳見第三節）。至於因果輪迴的概念則更是連貫目連戲劇情的主軸，除了戲中主角如傅相、劉氏、曹氏、金奴、益利都受到因果報應的獎懲之外，其他被吸收入目連戲範疇中但卻又非正戲本身的故事，也多是依照因果輪迴的法則來衍生情節，例如《梁傳》敘述目連祖先積善，以及梁武帝和侯景之間前世今生的恩怨果報；《紅鸞配》則在交代金奴、益利的前世；而《黃巢》交代羅卜的來生。

三、從三教合一到民間「混合宗教」

　　目連戲承繼佛教某些概念是無可置疑的事，但是在由大傳統佛教轉移到小傳統的民間「混合宗教」時，其中有一過程不容忽視，就是「三教合一」的現象。前面已提及兼容並蓄乃是「混合宗教」的特徵，所以主導中國大傳統文化的儒釋道三家自然容易趨向混同爲一。余英時(1987)曾針對「三教合一」的宗教倫理討論，認爲「三教合一」是中國宗教由「出世」到「入世」的一個重大轉向，首先引發這股運動的是惠能創立的新禪宗，然後經過宋代理學「援釋入儒」及與新道教結合，而於明代正式成形。[5]雖然「三教合一」是一個廣泛的現象，所及範圍包含知識份子和庶民百姓[6]，然而重要的是，經過「三教合一」運動，儒釋道三家遂脫離抽象哲理的思考層次，落實到現實的庶民社會中，進一步對庶民生活發生重大影響，成爲連結起大傳統和小傳統的關鍵，所以基本上中國俗世的大眾社會就是揉雜了儒釋道的三教社會(鄭志明1993：73)。鄭之珍《戲文》正是典型「三教合一」的代

表，劇中明白爲三教宣揚，認爲三教均欲勸人爲善，故可並行而不悖，譬如劇中〈齋僧齋道〉一折「孝順歌」曲云「儒釋道本一流，名並三光誠不偶」，以及「紅衲襖」曲云「儒釋道，須知通混成」，就說明了上述將儒釋道同視爲一體的現象。

　　然而《目連救母勸善戲文》乃爲文人的作品，就民間實際上演的目連戲而言，雖然表面上打著儒佛道三教旗幟，如辰河目連戲藝人就稱自己的教門爲儒釋道三教合一的「梨園教」（李懷蓀1992：104），但實質上蘊含的卻仍是民間習俗的古老思想與原始宗教信仰(鄭志明1993：72)。幾乎在各地目連戲中都可以見到驅邪除疫儀式，例如「趕五猖」「捉寒林」或「掃台」等等（詳見第四節），演出的目的多是敬神禳災，祈求平安，甚至以之祈雨或以禳蝗害，都可以看出戲中雖然充滿三教的宗教倫理與神學體系：如儒家的倫理道德；佛教的天堂地獄觀念；供奉的神明又多來自於佛道二教（如觀音、釋迦牟尼、玉皇大帝等)[7]；而且主其事者也多兼具和尚道士的身份；戲中並夾雜佛教盂蘭盆會或道教畫符錄等科儀[8]；但是目連戲的本質卻仍然不離原始的巫術信仰。也就是說它充分表露了「混合宗教」的特色：一方面既融合了社會制度或「組織性宗教」的儀式、神學體系、或人員，而一方面卻又展現巫術迷信等原始宗教的狂熱特質。因此，目連戲中宗教系統由大傳統朝向小傳統轉移的層次可以示如下圖（圖二）。圖中民間宗教同時受到佛教和「三教合一」的影響及指導，並加以若干層次的轉移，不僅有所承繼之處也有所變異之處，然後呈現出今日「混合宗教」的樣態。針對此圖必需聲明的是：「佛教」、「三教合一」以及「民間宗教」在長期交互混融影響之下，彼此先後的順序已經難以釐清，所以圖中三階段的區分方式並非按照時間

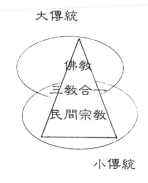

（圖二）

的先後順序排列，而以「民間宗教」爲最後出現者。因爲很顯然
的，許多民間宗教中原始古樸的思惟（如驅邪）甚至可以追溯到
中國商周時代的儺儀[9]，歷史要比魏晉時才傳播中國的佛教及後
來的「三教合一」都要更加久遠綿長。至於現存的民間目連戲如
莆仙目連、河南目連或江西目連，保存了宋代雜劇的面貌（見第
一章註八），相較之下也比充滿「三教合一」思想的明代鄭之珍
《戲文》來得古老許多。因此（圖二）中三階段的劃分，是依照
大、小傳統的不同階層背景和彼此統攝影響爲標準，而非時間早
晚先後的關係。

　　是故目連戲中的宗教並非指儒、釋、道中任何一個，它乃是
一個混雜大傳統主流文化與小傳統原始巫術信仰的「混合宗教」
形態，其中涵括的宗教理念駁雜繁瑣而且模糊，缺乏像「組織性
宗教」所擁有的一套清晰完整的宗教理論體系。曲六乙（1991：
113)認爲目連戲宣揚佛教教義，所以屬於宗教劇的範疇，可是就
「混合宗教」缺乏明晰的宗教理論體系而言，這種宣揚佛教教義

的說法並不符合實際狀況，目連戲的重心不僅不是而且也無法向民眾宣講教義，人民所看重的應該是在它足以滿足宗教功利性、實用性的功能層面上，如幫助完成驅邪除疫、超度亡魂或祈神還願等儀式，也就是類似巫術一般講求達到實用的目的，而鮮少對宇宙人生作抽象式的思考反省與體悟啓發。故我們充其量只能說目連戲與佛教相關，但卻不能據此說任何一個與佛教教義相關的戲都是宗教劇，這種說法顯然並不完善，不能指出目連戲有別於其他戲劇的宗教特質所在。

因此本章以下數節便將討論目連戲有別於一般世俗戲曲的宗教本質究竟爲何？涂爾幹(1992：37-49)認爲宗教現象可以區分爲兩個範疇：「信仰」(belief)和「儀式」(rite)，信仰是指表達觀點(opinion)的思惟模式，而儀式則是指具體的行爲模式，他並指出所有宗教信仰共同擁有的特色就在於預先將世界劃分爲神聖與凡俗兩大領域，相對於世俗，宗教乃是一種與神聖事物（即性質特殊的、禁止接觸的事物）有關的信仰及儀式組成的統一體系，這些信仰及儀式把所有對之贊同的人團結在一個集體的社群之內。[10]是故集體行爲、信仰、以及儀式就成爲宗教三項不可或缺的必備要素。以下便嘗試藉由這三方面來討論目連戲的宗教特質。

第二節　集體性的共同行爲

一、村民共同參與的義務

涂爾幹解釋宗教時以爲：眞正的宗教信仰總是一個集體的共

同信仰，這個集體不但忠於信仰，而且將履行相關各種儀式視為義務，所以這個集體能團結一致(涂爾幹1992：45)。根據胡樸安《中華全國風俗志》〈涇縣東鄉伭神記·目連戲〉中記載：

> 目連戲……每屆演時，合村視為重大問題，籌募款費，推舉司事，以辦此平安神戲。

又〈紹縣作平安戲之風俗〉記載：

> 紹俗稱五、六月為凶月，所以每年此兩月中，該地必有作平安戲之事。先於五月初間，每鄉村中，由一發起人，向各家捐款。……戲目多演目連救母故事。

基於「城坊村鎮釀資演戲」，周作人便把目連戲稱作「民眾戲劇」(周作人1993：202)，是村民生活中幾乎年年必行的公事，特別擇在地方不靖、或旱災瘟疫、或中元節、神明生日等時節，結合寺廟的作醮祭典一併演出，以祈求神祇保佑地方吉祥平安。全村人民都視目連戲的搬演為共同責任，大家推舉會首，并一齊出錢出力來支持演出所需。透過這種祈神求願的儀式活動，民眾的集體意識揭露外化成具體行為，整個社群都籠罩在共同的信仰和心理狀態之下，所以戲班或地方胥小利用民眾迷信的心理，趁此機會斂財的情形也就屢見不鮮，譬如四川酆都縣搬目連就曾發生過戲班藉口捉不到寒林，所以天天舉行發五猖捉寒林的儀式達數月之久，以向會首民眾討得更多的賞錢(杜建華1993：119-120)。官府也曾經基於此點理由而禁止民間賽會演戲，例如乾隆七年七月江西〈陳宏謀禁止賽會斂錢示〉中云：

> 迎神賽會，例所嚴禁，挨戶斂錢，情同強索。江省陋習，每屆中元令節，有等游手奸民，借超度鬼類為名，遍貼黃紙報單，成群結黨，手持緣簿，在於省城內外店舖，逐戶

> 斂收錢文，聚眾砌塔。并札扮猙獰鬼怪紙像，夜則燃點燈
> 塔，鼓吹喧天，晝則搬演《目連戲文》。
>
> （引自王利器1981：109-110）

可見地方宵小藉搬演目連戲來斂取財物的橫行囂張。但這正顯示出作爲群體一份子的村民，多把出資支持目連戲視爲一種應盡的義務，所以才會任由戲班宵小勒索，而目連戲卻照舊在鄉里間年年上演不輟。

因目連戲是「合村大事」，在演出期間全村人民的行爲亦格外愼重，不須明文規定就自然共同遵守許多禁忌(詳見第三節)，愼重者甚至如閩東福鼎傀儡藝人姚仁貴回憶一九四三年村里搬演《目連傳》，全村人民必需提前一年就做準備，先由村民在高山上開荒種谷，不得種在舊田，不得用牛耕，播種後亦不得施肥、澆灌，僅憑人力開荒、天降雨水成活。種出的谷，收入多寡不論，皆用於次年演目連戲時酬神。而且搬演目連戲期間，全體村民必需持齋七日，不得開葷，更不得肩挑糞便穢物。全村人民如此謹愼看待目連戲的搬演，就是深恐會冒犯神明，招徠厄運。（陳翹1991：164）

正因村民視搬演目連戲爲義務，目的非在營利，所以它的演員也就與一般作商業演出的戲劇不同。目連戲藝人大致包括三種份子，其一是臨時組織成班的業餘者，例如《蕪湖縣志》〈地理志·風俗〉「邑子弟工度曲者聚而演劇謂之科班」中記載「今鄉間酬神賽會喜演目連戲，多至七日，少或縮成一日。大都村里少年臨時演習，俟其嫻而後獻技」(引自茆耕如1993：147)，多爲工作閒暇時農民、工人、或商人等參與扮演；如紹興武班目連班在四、五月成班，　八、九月就散夥（朱建明1988：268，周作人1993：202）；

或如南陵目連戲的藝人平時務農，不自行搭台營業演出，只接受某地做會的邀請(姚遠牧1988：216)等等，都是這類情形。其二則是道士、和尚者流，例如泉州打城戲由和尚道士組班，在法事中穿插演出《目連救母》，故又稱和尚戲或道士戲（詹曉窗1990：157-158）；或如台灣喪葬儀式中道士演出的目連戲(李豐楙1992)；或江蘇高淳陽腔目連戲中演員往往兼具僧道的身份(黃文虎1988：182-183)等等。　其三則為組織成班的專業藝人，多於繁榮城鎮中作大規模演出，資助者為當地紳耆富商，例如辰河目連的重興班、雙合班、同樂班（李懷蓀1992a：61-73）等等。但須注意的是即使是專業藝人，目連或劉氏卻都不是由最知名的演員演出，例如歷來規模最大的一次目連搬演在四川宜賓持續達一年多之久，其中雖不乏當時名角參與，如黃金鳳、宋書田，他們卻都演出自己非目連戲的拿手劇目以吸引觀眾，而不屬於正戲的範圍之內(杜建華1993：218)；即使像一些以演目連戲聞名的藝人，如扮劉氏的劉丁丁，也是專靠演出絕技雜耍（吃香火、啃蠟燭等）聞名，而非傳統舞台戲曲藝術所看重的身段作工或唱腔。

　　由這三種組成份子看來，目連戲與戲院舞台上專業演出的戲曲大不相同，演員不是出自業餘，否則就是由偏重雜技表演的次要角色來擔任，故不屬精緻藝術的層次。不論是農村民眾聚資或城鎮鄉紳出資，目連戲都是一種由人民集體共同分擔的義務，而非劇院中以個人為單位的營利行為，這正說明它乃是一種非商業的「中介」行為，反應的是社會集體意識，與有特定訴求對象的「類中介」商業藝術屬於不同層次（見第一章第四節）。因而我們若以舞台藝術作為衡量的標準，自會覺得目連戲粗鄙簡陋，充滿市井小民低俗的趣味，無甚藝術價值；但就另一標準而言，它卻

具有「中介」藝術反應社會集體意識的特質，與社會脈動息息相關，這卻是其他戲曲藝術所無法提供的研究價值，也是本文所欲深入探討的重心。

二、逼真寫實的表演：一種有別於傳統戲曲「虛擬」美學的演出方式

目連戲的表演方式亦獨具特色，它著重逼真寫實，使觀眾彷彿親臨其境，感同身受，這點也恰與中國傳統戲劇藝術所講求的「虛擬」美學背道而馳。根究造成如此差異的原因，就在目連戲是「中介」性質強烈的集體行為，而劇院中專業戲曲則是偏向「類中介」的個人藝術，因此目連戲中逼真寫實的表演，目的在幫助觀眾更易融入戲劇情節的發展，並不知不覺地也變成了演出的一份子，而不再只是舞台下的旁觀者而已。在大眾一同加入戲劇扮演的作戲心態之下，集體意識便能夠達到進一步的強化。

徐珂《清稗類鈔選》的記載足以說明目連戲刻意達到逼真寫實的演出特色：

> 其劇自劉青提初生演起，家人瑣事，色色畢具。未幾劉氏扶床矣，未幾劉氏及笄矣，未幾議媒議嫁矣。自初演此，已逾十日。嫁之日，一貼扮劉，冠帔與人家新嫁娘等，乘輿鼓吹，遍遊城村。若者為新郎，若者為親族，披紅著錦，乘輿跨馬以從，過處任人揭觀。沿途儀仗導前，多人隨後，凡風俗宜忌及禮節威儀，無不與真者相似。盡歷所宜路線，乃復登台，交拜同牢，亦事事從俗。其後相夫生子，烹飪針黹，全如閨人所為。再後茹素唪經，亦為川婦迷信恆態……此劇雖亦唱亦做，而大半以肖真為主，若與台下

人往還酬酢。嫁時有宴，生子有宴，既死有吊，看戲與作
戲人合而爲一，不知孰作孰看。衣裝亦與時無別，……故
入人益深，感人益切。

所謂「看戲與作戲人合而爲一」，正道出實際演出時演員與
觀眾的區別幾乎泯滅，全村村民在有意無意間都已置身舞台的一
部份。因而劉氏出嫁時地方人士還要幫劉氏辦嫁妝，同時在台下
擺酒席宴請賓客，劉氏的花轎並要遍游街坊，任人揭觀，待行至
台上後再與傅相行交拜之禮，整個過程與民間眞實的婚禮別無二
致(溫余波1988：167-168，杜建華1993：29-30)。除了出嫁的情節之外，劉
氏大開五葷的場景也非常肖眞寫實，據目連戲退休藝人張百厚回
憶，戲班演〈大開五葷〉時須請廚子擔食物到戲園子中，從觀眾
席穿過抬進內場，再在台上擺酒吃菜，並唱出每道菜的菜名(張
百厚1990：181)。或是如辰河目連戲中劉氏病死，要請當地的道士
爲她舉行法事，並由益利等抬棺材到台下，按照當地發喪的程序
習俗緩緩而行，哭喪者呼天號地(李懷蓀1992：95)。可見劇情發展
已不再是重點，重點是借逼眞寫實的表演方式在群體中渲染作戲
的氣氛，這可說是目連戲最大的特色。

因爲演出逼眞，觀眾也陷入眞假難分的情緒中，清代周詢
《芙蓉話舊錄》卷四〈大戲〉的記載就充滿不可思議的神秘氣氛：

成都謂演《目連救母》全部戲曰「大戲」，又曰「打叉戲」。
……演傅員外娶劉氏時，儼然備六禮，由玄觀以綵輿舁劉
氏上台，如世俗結婚狀。又如耿氏自縊一幕，以巨木懸飾
耿氏者，撑出台外。飾縊鬼者，狀尤慘獰可怖，從正殿中
直出，由人叢中呼嘯登台。此後如鬼捉劉氏及回煞，皆最
精采。尤以打叉爲絕技，擲叉者曰「叉手」，命中之技，

不差累黍。受叉者，如劉氏及二三助惡奴隸，有爲叉釘帽
于柱，或從腋間釘衣于柱者，大有間不容發之險，觀者無
不股慄。又時以紙作成叉狀，向人叢中擲去，尤爲惡作
劇。又演刀山時，以巨桅聳立場中，桅身橫束大刀百數十
柄，桅頂置一木板，縱橫僅二尺許，刀口皆向上。上刀山
者，赤其足，以刀口爲梯，蹣蹣而登，在板上做種種態。
始仍履刀口而下。(引自杜建華1993：202-203)

因爲藝人表演力求眞實，所以扮演神鬼時須借助各種神奇的
絕技來增加可信度，《內江地區戲曲志》〈表演藝術劇目選例·
目連〉中便記載「觀音壽」中觀音三變身的神奇幻術，令人驚異
不已(杜建華1993：83)。各地目連戲亦多有「打叉」和「女吊」兩
幕更是緊張刺激，由於打叉屬於高危險性的絕技，所以演出時必
需先放置一口棺材在台下，演員若失手被叉死，即用這口棺材埋
葬(方曉慧1993：276)；而演出「女吊」(或「耿氏上吊」)時演員
可怖的化裝打扮更彷彿眞鬼出現(魯迅1993)，甚至導致觀衆因懼
怕而昏暈過去的情形。《中華全國風俗志》下編〈安徽·涇縣東
鄉佞神記·目連記〉生動地敘述了這場目連戲演出的高潮：

就中以第二夜爲最熱鬧，因東方亮妻之尋死，而有溺鬼縊
鬼之爭替。因兩鬼之爭替，而有聞太師之逐鬼。逐鬼謂之
出神。……當出神時，台上燈火齊滅，縊鬼溺鬼，渾身冥
箔，滿台亂撲，作鬼嗥聲，狀甚幽凄。聞太師手摯鋼鞭，
數其擾亂人家之罪，而下驅逐之令，鋼鞭一指，兩鬼立即
跳至台下，向壇上奔去。聞太師隨後驅逐，人聲喧譁，炮
爆連天，兩旁女臺(所搭爲婦女觀戲者，男子無此優待)，
燈籠高掛，紙扇亂搖，一若以爲眞鬼，恐其近身討替也，

間有因懼怕而昏暈者。

而「女吊」的演員也真的就在舞台表演上吊的驚險絕技，民國八年太和鎮禹王宮「艷春班」藝人傅雲霞在演出〈耿氏上吊〉時就因表演過於真實而不慎失誤，遂在台上昏厥不省人事，直到三天以後方才由危轉安(敬永林1986)。〈劉氏回煞〉也是藝人大展絕技的一幕，搬演時戲臺中間設置靈位，桌上擺有祭品、蠟燭、香、茶碗等，劉氏因飢餓難忍，便和押解她回煞的鬼卒搶桌上的祭品吃，甚至還把蠟燭、香灰等一併吞食下去。川東目連藝人劉丁丁就是以這場吃香灰、啃蠟燭的表演聞名，而川北的名旦曹湘石更將瓷碗嚼碎，吞入腹中，觀者無不震驚(杜建華1993：79-80)。

凡此種種奇特的表演方式，再加上實際砌末道具的運用，如轎子、嫁妝、食物、真叉、棺材、以及用紙紮成地獄十殿中琳琅滿目的刑具(杜建華1993：100)，共同構築起一個虛實難辨的逼真舞台，在中國其他戲劇中確實難得一見。雖然目連戲獨樹一幟的逼真表演方式可以達成勸善懲惡的功效，但毋庸置疑地，這大大幫助所有觀眾脫離現實的日常生活，而一齊進入作戲的真假難分狀態中。在這個時刻，演戲者與觀戲者遂凝聚成為一個群體，也就是形成Victor Turner所說在儀式「中介」狀態下逸出結構之外的非結構「共同體」(見第一章第三節)，下面的分析將更清楚地說明這種演戲者與觀戲者結合為一體的情形。

三、劇場舞台與觀眾間界限的消除

目連戲的舞台屬於開放的空間，沒有台上台下的界限，例如上述劉氏出嫁或是劉氏出殯等情節就在尋常的村里巷弄之中演出，所以往往發生演員混雜觀眾之中，或觀眾共同參與演出的情

形。江西弋陽腔目連戲演出「捉劉氏」一幕時，由觀衆協助鬼卒將逃竄台下的劉氏捉到陰間；而「趕吊」(即「女吊」)一場戲也是同樣情況，扮演吊神的演員由台下群衆裡衝到舞台上去尋找替身，因爲遭到普化和猖神追趕驅逐，便又逃回舞台下的觀衆群中躲避，然而這時觀衆也加入追趕吊神的行列，齊聲吶喊，舉著桃木棍、竹帚、和叉矛打鬼，扮鬼的演員必須快速逃離現場，以免被衆人打傷，而且須得一直逃到數十里的郊外，才能夠卸妝換上便服再折回村中(毛禮鎂1992：17)。《陶庵夢憶》卷六〈目連戲〉描述演出〈招五方惡鬼〉、〈劉氏逃棚〉等劇時，萬餘人齊聲吶喊，其聲勢的壯觀浩大甚至驚動到縣官，以爲是海寇來襲，就可以想見現場觀衆入戲的程度。因爲觀衆就是戲中一分子，所以有些角色索性交由鄉民擔任，例如四川目連戲搬演時往往找當地走霉運的袍哥(江湖哥老組織中的人物)來飾演寒林(衆鬼的頭目)，據說如此就可以轉運而否極泰來(肖士雄1993：57)。或紹興目連戲中演員扮演鬼王，其他鬼卒則招募小孩子飾演，魯迅回憶自己幼時就曾經扮演過這樣的角色，與十幾個孩子一同畫上鬼臉，在鬼王的指揮之下，手執鋼叉奔到郊外的無主孤墳上去驅逐鬼魅(魯迅1993)。所以目連戲並沒有舞台的界限，乃是交由演員和觀衆一齊合力來推衍演出的活動。

　　正因目連戲中虛實眞假混淆，所以演出同時也可以結合超度亡魂的法事一併進行。四川目連戲表演目連破鐵圍城救母時，和尚道士便眞的舉行超度儀式，故不論戲內戲外均在超荐亡靈(杜建華1993：110)。福建莆仙目連戲演至目連三進地獄、身背佛燈救母之時，民間也多眞送牒出資，請目連念咒來超度親屬亡靈轉入人道(林慶熙1990：34)。南洋興化目連傀儡戲的超荐儀式更是演出

的重點和目的，由家屬手持招魂幡跪在台前，台上則以一尊尊木偶代表亡魂，依序接受目連尊者木偶畫符咒挑荐（容世誠、張學權1994：17）。而在台灣喪葬儀禮中孝眷直接參與目連戲的演出，由道士扮演目連，持領招魂幡在前引導孝眷，共同完成一連串破獄門、喝血酒（象徵地獄血湖，以代母解除因生產時穢血污天薰地之罪）、以及拔度亡靈昇天等儀式（王天麟1994）。

　　綜歸上述闡釋，民眾乃把目連戲視做集體的義務，同時藉由逼眞寫實的演出方式以及舞台界限的泯除，觀戲者有意無意一同參與戲劇的扮演，而順利進入宗教儀式的「中介」狀態之中。這時大眾的行爲接受「中介」狀態裡新秩序的理念和信仰所指引，遂團結成一個脫離社會原有結構的「共同體」。這種集體行爲正可說明目連戲作爲宗教劇的第一點特色。

第三節　信仰的基本理念：
　　　　神聖與世俗的劃分

一、神聖的時間與空間

　　所有宗教信仰顯著的共同特色就在神聖事物與凡俗事物的劃分，而所謂神聖事物就是被隔離的東西，在它們與世俗之間有著一道鴻溝，故具有超越其他東西之外的神聖特性（涂爾幹1992：38，339）。根據歷來資料顯示，目連戲確實有別於其他戲劇，不僅本身有一定演出條件的限制，是在特定時空下非商業娛樂性質的演出，而且不會隨意和一般戲劇活動相混淆。首先就演出時間而言，《中華全國風俗志》〈紹縣作平安戲之風俗〉記載紹縣五、六月

時爲凶月，於此間必做平安戲，通常日間所做之戲與平常戲相同，但到了夜間則舉行「召喪」儀式，儀式完畢後接演目連，直到天明方才結束；因爲是從太陽下山開始，演至第二天太陽升起，故又俗稱作「兩頭紅」（徐宏圖1988：192）。安徽《蕪湖縣志》〈地理志‧風俗〉「中元注」則稱這種「向夕舉行，午夜方罷」的戲劇演出爲「燒天香」（茆耕如1993：147）。福建莆仙目連戲也與一般戲劇分開時段搬演，白天上演的是歷史演義如《三國》《水滸》《北宋》《隋唐》等連台本戲，晚間才演《目連》，至於莆田搬演目連的時段則恰與此顛倒（林慶熙1990：34）。又如一九二八年四川宜賓搬演目連時每天分爲早戲、午戲、和夜戲，早戲午戲搬演屬於目連戲範疇的劇目，夜戲則不在目連戲之內，演出的是知名藝人的拿手劇目，如楊玉卿的《北邙山》、曹俊成的《八駿圖》等等（嚴樹培1993：63）。至於馬來西亞三教堂則是在祭祀活動的前三天演出其他戲曲，如《呂蒙正》、《劈山救母》，到第四天方才正式演目連戲，而爲了演出目連，戲班還必需從第四天午夜十二點就開始守齋，以示愼重（容世誠、張學權1994：13-15）。

　　凡此各地種種目連，或在白日或在夜間演出，時間雖然不一，但是卻都顯示出一個獨特的現象：目連戲雖因搬演時間長久，爲了豐富內容吸引觀眾，遂吸納其他的戲曲一同演出，以增加娛樂性和可看性，但是它們搬演的時段卻很清楚地各自區隔開來，決不互相混淆。杜建華也指出搬目連的劇目組合有一定原則，並非任何戲劇都可以進入目連戲範疇，必需是與目連戲的故事相關者（如《梁傳》、《黃巢》），或是勸善懲惡、忠孝節義者（如《精忠傳》），或是展示因果輪迴者（如《紅鸞配》）（杜建華1993：127）。從上述諸多條件限制看來，目連戲確實與一般戲劇

大不相同，它的演出方式或內容都受到嚴格約束，不得任意爲之，
所以搬演時籠罩著一層神秘詭異的色彩。魯迅〈女吊〉(1993)一文
特別描述目連戲在尙未開場之前，充滿了有別於普通社戲的緊張
嚴肅氣氛，而這種特殊的氛圍便構成了目連戲的神聖性質。同時
目連戲的神聖性質也可說明它爲何能保留千年前古老演劇面目的
原因：因爲它與一般世俗戲曲相隔離，繁多的禁忌與限制造成它
的保守性格，故絕少見到目連戲與其他劇種交流影響的痕跡[11]；
而戲劇的起源與宗教儀典密切相關，所以與儀式相結合、具備宗
教神聖特質的目連戲便成爲今日保存中國戲劇原始風貌的活化石。

　　目連戲的神聖特質也表現在演出的空間之上。幾乎所有目連
戲開演時都有「開台」儀式，例如豫劇《目連救母》第一場是〈血
祭破台〉，首先由玉皇大帝道白云：

> 我乃玉皇大帝是也，今用道眼觀看，下界萬民喜悅。茲有
> 大中華、某某省、某某縣、某某地，新搭戲臺一座，同慶
> 某某佳節，搬演《目連救母》，台上現有祟婆隱藏，實爲
> 不吉不利，須命眾神速去驅趕，以保一方平安。

緊接由王靈官率領趙公明、黑老吉、白老吉、四武士在台上擒拿
祟婆，用雞血撒遍前後台的各個角落，然後將雞頭釘在前台口正
中，再由跳加官帶著喜神面具上台，持布折現出「天下太平」、
「五穀豐登」等吉利的字樣後，方才正式開演正戲。四川目連戲
中開台儀式則爲「靈官鎮台」，由一演員扮演靈官登台，在經過
燒符、挽訣、念咒、以及淋雞血等程序之後，靈官開口說神話：

> 四川某府某道某地，接吾金身鎮台大吉。吾奉玉旨來到此
> 地，觀眾姓弟子人人行善，吾鎮台後，病痛疾害，一概壓
> 入金鞭之下。

然後將靈官的金鞭掛在戲臺前的橫樑上，示意大聖在此，諸邪迴避(黃傳瑜1991：8)。浙江上虞啞目連有「觀音開台」儀式，以借此來鎮邪、降吉，演出結束時則有「鬼王掃台」儀式（徐宏圖1988：196）。江西目連戲則爲地藏王登台，命令韋陀、護法收煞（毛禮鎂1992：15）。莆仙目連戲則先以放炮鬧棚製造氣氛，然後恭請太清、上清、玉清仙師，溫、康、馬、趙四將，最後拜請玉皇大帝出殿(林慶熙1992：27)。至於《超輪本目連》中有鍾魁「掃檯」一折，雖不是在戲劇的開場，但是也類似「開台」儀式一般，具有掃除周遭鬼魅的性質。

　　這些場景標示出目連戲的舞台是一個神聖的潔淨(purified)空間[12]，經由一連串扮演的儀式，象徵神祇降臨到凡塵俗世之中，掃除掉危害人類的邪祟鬼魅。而在這個神聖空間中，人類可以超越凡俗的限制，自由地與神、鬼往來接觸。以下便嘗試進一步分析目連戲中人、神、鬼交融共處的特色。

二、神、鬼、人的接觸交融：扮仙與瀆神的行為

　　宗教乃是人與神交往的方法，而儀式則揭露出人與神靈接觸的內在意向(董芳苑1991：23)，藉此向神傳達心中想願，目連戲中一再重複出現許多扮仙的齣目，正顯示出此種意向：鄭之珍《戲文》中〈三官奏事〉〈閻羅接旨〉〈城隍掛號〉，或《超輪本目連》的〈金剛山〉〈出神〉〈議奏〉〈招方〉〈消牌〉，或是郎溪《目連戲》的〈登殿〉〈開殿〉，豫劇《目連救母》中的〈判官值日〉〈眾鬼受差〉，莆仙戲《目連救母》中〈三官奏事〉〈城隍掛號〉〈司命議事〉(容世誠、張學權1994：6-9)皆屬此類。出場的神祇通常一次就多達二、三十人之眾，天上、人間、陰司，神、

仙、道、儒、釋等三教九流，無奇不有(陳紀聯1990：99)。這些齣目往往內容非常簡單，不僅情節沒有太大的轉折起伏，彼此之間又十分類似，多只在一一交代神明出場，或者分配諸位神祇任務，但是劇中卻一再重複出現，不嫌累贅。若是以戲劇藝術眼光衡量，這些齣目實屬多餘次要的場景，然而各地目連戲卻一直保留著這些扮仙意味濃厚的戲碼，即使需要縮減演出內容時，也盡量不把它們刪去。[13]誠如龍彼得所云：

> 從目連及其他故事看來，看似裝飾的、額外的、穿插的一些戲劇成份，其實是儀式中不可或缺的部分。因此這些演出不可被視為是原來情節上的附加物。相反的，戲劇的故事只是為這些表演提供一方便的架構，而這些表演其實是可以脫離故事而獨立出現的。（龍彼得1985：537）

因此故事情節的發展反而位居次要，更重要的是去牽引出這些戲碼來。黃美英也指出扮仙戲如「八仙」、「蟠桃會」等等，其實都是信徒藉此與神交往溝通的「中介儀式」(liminal ritual)，透過儀式信徒得以進入與神界聯繫的範疇，而表達出對神的酬謝祝壽以及祈福求願的俗世動機(黃美英1985：30-32)。所以目連戲中一再出現的扮仙齣目，其實正是民眾由世俗「轉換」(transform)到神聖領域以與神祇接觸的管道，為宗教儀式中不可或缺的部分。

　　但矛盾的是，戲中卻可以見到許多汙衊神鬼的部分，譬如四川蓬溪儺戲〈劉氏四娘哭嫁〉一齣，土地公得知劉氏即將出嫁，所以下凡「勸善」，但事實上卻和她調笑戲謔，假借「哭嫁」之名，和劉氏做出撕衣等猥褻形狀，完全抹去神祇令人敬畏與恐懼的光環（杜建華1993：228-231）。辰河目連戲中閻羅王不僅放浪行骸，與鬼婆子大開玩笑，做出猥褻動作，並且在審判陰魂時，無

常鬼還在一旁譏諷閻羅王嫌貧愛富，收受賄賂(長映1989)。湘劇《目連記》〈四殿〉一折中，索性把地獄中審判的老爺描寫成一個糊塗的聾子，做出將善人打入地獄，惡人送上天堂的荒謬行為。甚至還出現人凌駕於神之上的人神易位顛倒現象，例如川北慶壇儺戲〈劉氏回煞〉中鬼神反而成為人類謾罵和愚弄的對象（杜建華1993：232），而辰河目連戲〈城隍剝金〉中，李狗走投無路，遂來到城隍廟中盜取菩薩臉上貼的金箔，這時菩薩顯靈，與李狗倒在地上扭打成一片，幸而地方道士趕來拯救菩薩，只是這時城隍菩薩已經落得面目全非，狼狽不堪了（李懷蓀1989：47，方曉慧1993：276-277）。上述種種極端藐視神權鬼域的演出內容，學者或以為是超越封建倫理藩籬的庶民精神(長映1989)；或以為是以神娛人，取悅觀眾(杜建華1993：231-234)；或以為是「寓莊於諧」，以穿插喜劇的手段來調節舞台上的氣氛，使觀眾情緒得到舒緩；甚至進而贊揚這是「破除封建迷信」的手段，是「天才的民間藝人」對於「神聖不可侵犯的神權和裝神弄鬼的把戲做無情的嘲諷」(李懷蓀1989：42-49)。

然而，這些嘲神蔑神的片段果真可以用上述角度詮解嗎？若就目連戲與宗教如此密切結合的背景而言，上述諸位學者的說法顯然都與目連戲的神聖本質有所扞格，不能合理解釋其中的矛盾；而且民間藝人是否能有如此高度的自覺意識去反抗封建迷信，也是很值得懷疑的事情。在此，涂爾幹對於土著原始宗教行為的研究可以幫助我們更加全面理解上述瀆神的片段。涂爾幹發現在澳洲土著犧牲饗宴的儀式中，圖騰氏族的成員往往殺死並吞食掉具有神聖性質的圖騰動物，這種乍看之下十分矛盾的行為正說明一項事實：任何積極崇拜中都包含著真正的瀆神行為，人類藉此來

跨越神聖與世俗的藩籬，而與神保持聯繫。但是這種瀆神行為必需經過一個過渡階段的措施，以將崇拜者漸漸引入神聖事物的圈子裡，在經過這種措施的處理之後，瀆神的性質被沖淡，不再和宗教情感起衝突，而與神聖事物的交接也就不會被認為是瀆神的舉動了（涂爾幹1992：376-381）。

　　因此目連戲中對神鬼的汙衊，正代表人類經由演出儀式的過渡，脫離凡俗而進入到神聖的境界中，得以與神鬼平等共處，往來交接，這時瀆神的行為便不能再用平日的標準衡量，反而是代表人類與神靈親近混融的一種方式。所以戲中神明可以放下尊嚴莊重的神格來到塵世，舉止與一般凡人無二，譬如常見的「雙試」情節，演出觀音試驗羅卜（「試羅」）以及龍女試驗雷有聲（「試雷」）是否誠心修道，劇中觀音化身為民婦百般挑逗羅卜，甚至假裝腹痛，強逼羅卜用手按摩她的腹部，大膽以色誘之，語涉穢褻（黃錫鈞1990：148），可說大大貶低了觀音的神格（詹曉窗1990：160）。[14]然而觀音人性化的描寫並非一個特例，除了前述川北慶壇儺戲土地公與劉氏的調情之外，目連戲中人、神、鬼肉體接觸，互相戲謔的場景可說屢見不鮮。浙江上虞啞目連「送夜頭」一幕，劉氏家丁就被無常鬼戲弄，無常鬼不但和他搶酒喝，還和他分食麵條的兩端，把家丁嚇得魂不附體，因為這一幕充滿了親切、生活化的喜劇效果，還廣受到民眾的歡迎喜愛（徐宏圖1988：195-199，羅萍1984：247）。目連戲搬演時不僅是人神，亦是人鬼的交往溝通，馬來西亞三教堂目連戲演出前有「招幽」的儀式，召請各方幽魂前來戲棚觀戲（容世誠、張學權1994：16）[15]，於是乎在這一方神聖空間裡，神鬼降臨，與凡人平等共處，親密地相互捉狎戲謔，所以才會出現許多令研究者感到詫異不解的瀆

神場面。

三、進入神聖境界：上西天與下地獄的二大歷程

前面一再提及經由搬演目連戲，觀眾得以由凡俗進入到神聖境界之中，然而這種神聖氛圍卻是一抽象的想像空間，問題在於神聖的境界是否可以具體呈現出來，使觀眾更容易感受到經歷一番由凡入聖的超越過程呢？

當我們將目連戲有關倫理道德和因果輪迴這二大主旨的情節剔除以後，發現它其實由兩大部分組成，一是目連挑經挑母上西天的歷程；另一則是目連下地獄遍游十殿尋母的歷程。以鄭之珍《戲文》爲例，從〈白猿開路〉中白猿幫助羅卜上西天開始，經歷〈挑經挑母〉〈過黑松林〉〈過寒冰池〉〈過火焰山〉〈過爛沙河〉，然後到〈見佛團圓〉羅卜自殺，化身成佛，接受活佛賜名爲大目犍連，這數折下來鋪排出一段修煉得道的歷程，然後終於到達神聖的西天極樂境地。至於目連下地獄救母的歷程更是戲中最重要的部分[16]，從地獄一殿一直奔波到十殿，每殿情節大致都在反覆描寫地獄嚴刑酷罰的可怕無情，但卻不厭其煩一再上演，最終目連打破地獄大門，拯救地獄飽受苦難的眾生，舉行超度亡魂、施捨萬方生靈的〈盂蘭大會〉，而達到整個演出活動的高潮點。

經過比較，這兩段歷程幾乎一模一樣，不僅詳細鋪繪出到達神聖境界之前的過渡階段，由主角目連衝破一路上重重的阻礙危難；而且最終的結果一是化身成佛，一則是普度亡魂上西天，都是同樣進入到神聖的境域之中。根據鄭志明（1988：413-456）對台灣近十年來興起的遊記類鸞書的分析，其主題也都是環繞著天

堂、地獄、人間三者之間的穿越遊歷，譬如《地獄遊記》、《天堂遊記》、《道濟遊記》等等，藉由乩童的通靈儀式，神靈降凡附於人體，引領信徒進入靈異世界，而產生悸動的神秘宗教經驗。這種方式與目連戲所強調的上西天、下地獄二大歷程的旨趣相同，都是將由俗入聖的「過渡儀式」具體呈現在舞台或祭壇上，以帶領觀眾完成神聖空間的轉換，所以意義重大非凡。我們檢閱各地的目連戲，也發覺這二大歷程在演出中不斷被強調凸顯，尤其在以超度亡魂為主要目的的喪葬儀式之中，這二大歷程成為演出重心。胡天成記載重慶喪葬儀式目連故事的表演，有三個部分最具戲劇意味也最重要，分別為「破獄」、「演齋」和「靈山請旨」：「破獄」就是打破地獄，讓亡魂到法壇前接受超度，由道士在地上劃地獄圖，引孝眷按照東、西、南、北順序繞行地獄數圈，象徵經歷地獄重重刑殿，然後擊破地上的瓦片代表破獄；「演齋」一幕則是由法師演唱，內容敘述目連入獄救母和赴靈山請佛旨的兩段過程；「靈山請旨」一幕則是目連赴靈山求佛救母，演出時用桌子象徵靈山，由目連繞桌三圈，佛祖再賜予它錫杖聖燈以打開地獄城（胡天成1993：89-91）。這三幕都是由目連上西天與下地獄這二大歷程所組成。再如邱坤良記錄台灣高雄縣崗山喪葬儀式中的目連戲，「挑經」或「雙挑」（目連和雷有聲）是主要部分，演出目連和雷有聲挑經上西天求佛的經過；至於北台灣目連戲則以「打血盆」為主，演出目連「游獄」尋母，歷經「黃泉路」、「奈何橋」、「望鄉台」、「鬼門關」等的過程（邱坤良1989），都不外乎上西天、下地獄這二者。

　　因為上述二大歷程象徵由凡俗轉換入神聖的境域，所以目連戲除了目連救母故事本身之外，所敷衍的其他情節也多和此二大

主題有關，最明顯的例子便是三藏取經和唐明皇游地獄的故事。這兩個故事雖與目連救母的情節人物沒有聯繫，但卻多加入目連戲中一併演出。江西弋陽腔目連戲有《西游記》一本，內容分爲兩大部分：第一部分描寫唐太宗游地府；第二部份則描寫唐三藏赴西天取經（毛禮鎂1988：141-147）。泉州提線木偶戲《目連救母》分爲《西游》和《目連》這兩個部分，而《西游》又分爲《李世民游地府》和《三藏取經》，正是上西天、游地獄二大歷程的組合體(黃錫鈞1990：140)。四川目連戲《西遊記》演唐王游地府，龍王要他去西天取眞經，所以便下詔命唐三藏赴西天取經，便巧妙串連起游地獄和赴西天這兩個主題(張百厚1990：183-184)，至於《梁傳》中亦有梁武帝入地獄救妻的情節。

　　總之，目連戲演出時與世俗的戲劇有截然劃分的界限，這道界限賦予它神聖的氛圍；並且藉由一連串「開台」等儀式，標示出一個神聖的空間，在這神聖空間中神祇鬼靈一起降臨，與人平等共處，互相親近戲謔。而戲中目連上西天、下地獄的二大歷程，則在舞台上具體表演由世俗到神聖的轉換過程，目連代表一個「儀式通過者」(ritual passanger)，引領觀衆到達一個脫離世俗的「模擬兩可」(betwixt and between)神聖境域之中(黃美英1994：211)。上述神聖特質便是目連戲第二個宗教特徵。

第四節　禁忌與儀式

　　弗雷澤《金枝》用「交感巫術」一詞說明巫術賴以建立的思想原則，並歸結爲兩方面：一是基於「相似律」的「模擬巫術」（或順勢巫術）(homoeopathic magic)；一則是基於「接觸律」

的「接觸巫術」(contagious magic)。而在實踐應用上巫術則可以分爲積極和消極兩方面：積極的巫術是法術，消極的巫術則爲禁忌(弗雷澤1991：21-23,33)。但涂爾幹反對弗雷澤「巫術是宗教發源地的說法」[17]，相反的，他以爲「交感」是出自於宗教意識而非巫術，而宗教儀式就是表達這種信念的象徵性手段。人類透過儀式的語言和姿勢，不僅得以簡單地接觸感染神聖物質，而且還具有創造和生成的力量，喚起超越個人侷限的神聖信念，以保證種族集體的繁殖與延續(涂爾幹1992：397-416)。因此儀式是一個集體基於「交感」的思想原則，具體表達出他們神聖信仰的方式。以下便從「消極崇拜」(negative cult)的禁忌和「積極崇拜」(positive cult)的儀式行爲這兩方面討論之。

一、消極的崇拜：禁忌

宗教生活與世俗生活是互相對立的領域，無法同時併存，而禁忌就是實現隔離聖與俗這兩個境域的手段。它的功能第一在保護神聖事物免遭世俗污染，第二則在幫助人脫離平時的凡俗生活，與神聖建立起親密的關係（涂爾幹1992：339-361）。目連戲演出的禁忌可說不勝枚舉，最重要的是性的禁忌和殺生的禁忌。辰河高腔羅天大醮配合目連戲演出的期間，闔市百姓一律齋戒，不得宰殺生靈，夫妻禁止同房（李懷蓀1989b：62）。莆仙目連戲演出時戲班則須提前一個月吃素，演出期間禁止女演員參加，並禁行房事，而鄉人須戶戶齋戒焚香（陳紀聯1991：57，林慶熙1991：32）。這些禁忌透露出兩層訊息：第一、由禁止女演員參與演出的忌諱，可見女人是被劃入與神聖相對的世俗領域中；第二、男女交媾的性行爲和殺生食葷舉動被禁止，顯示禁忌行爲中否定天然慾望的苦行

主義(asceticism)特質(涂爾幹1992：348-349)。[18]

　　因爲禁忌的緣故，戲中事物多環繞著神聖氛圍，道具或人物也多感染上神聖特質。譬如靈官的臉譜拓印下來，掛在家中就具有驅邪保平安的功效；郗氏幡、紙寒林等則被認爲有鬼魅附在上面，故演完後一律燒掉，不留作下次使用(杜建華1993：51,134)。當演出劉氏產子時，戲臺多會分送台下紅蛋或是蘿蔔（因爲劉氏吃蘿蔔而生羅卜），觀衆可以紅包換取，拿回家中供奉在神桌上或是食用，以爲得子之兆(蔣瑩1993：74，李懷蓀1992a：93-94)。這些都透露出人民的願望不外乎得子和祈求平安二者，因而戲中若與鬼魅有關之物則視爲不祥；與神靈有關則可作避邪之用；而紅蛋、蘿蔔與產子有關，遂以爲食之亦可沾染喜氣而得子。除了道具，甚至劇中人物也具有神性，在「發五猖」儀式中五猖神被觀衆視爲大吉之物，所以扮演猖神的演員可以隨意拿取攤販上或民衆家中的食物來吃，主東還引以爲幸(李懷蓀1992b：142)。目連戲中演員若扮演惡人必需同時扮演好人來搭配，否則便會遭不幸；至於演「男吊」、「女吊」的演員化上吊死鬼的舌頭之後，就會被認爲是鬼已附身，不可再開口說話(蔡豐明1993：21-22)。

　　人們必需以禁絕世俗基本慾望的方式來進入目連戲演出的神聖境界中，而戲中的事物也不再是平常世俗的面目，它們（或他們）基於接觸或模擬等交感原則，產生了神聖的性質，不論被認爲會帶來吉祥或是厄運，都在神秘禁忌環繞之中，與世俗事物割離開來，而流露出人們潛意識中的恐懼厭惡或是祈願渴望。

二、積極的崇拜：演出的儀式行爲

　　禁忌乃是消極崇拜，透過對人們日常生活習性的禁止，來賦

予某些事物神聖的特質；至於積極崇拜則指人們轉換到神聖境界之中，用具體的行動表達出心中想願的儀式。所以積極崇拜的儀式類似戲劇的表演，但與戲劇不同的是，儀式是集體進入「模擬兩可」的作戲狀態之中，而戲劇則有台上台下的區別，目連戲正揉和此二者。姜士彬(David Johnson 1991)指出目連戲中有三個場景特別重要：一是「放猖捉寒」，二是「劉氏逃台」，三是「女吊」，這三個場景都具有濃厚的儀式性質，並根據歷來記載顯示，它們也是目連戲中予人印象最爲強烈、影響觀衆心理最爲深刻的一幕。「放猖捉寒」演出五猖神在觀衆尾隨之下，在村寨中四處游走以捉拿寒林惡鬼，就如同張岱《陶庵夢憶》中記載的「招五方惡鬼」一般；胡樸安《中華全國風俗志》「下編」〈紹興縣做平安戲之風俗〉中的「召喪」（或「起殤」）也是類似的內容，「由許多伶人，扮著魔王及小鬼種種可怕的妝式，排著隊伍，更附以鑼鼓旗幟，在村中送遊」，而家家戶戶則放鞭炮相迎，遊行隊伍可以自由進入民宅以驅鬼逐疫（蔡豐明1993：20）。江西弋陽腔目連戲則在每晚戲開演前有「請猖神」的儀式，由演員扮猖神從台下遠處遊行至台上(毛禮鎂1992：16)。辰河目連戲有所謂「發五猖」、「捉寒林」，五猖神受城隍之命前去捉拿寒林，於是在觀衆尾隨之下，遍遊村寨，尋找用稻草紮成模擬寒林的人像，找到後便將寒林綁在戲臺上祭拜，並用雞頭插在寒林頭頂鎮壓之(李懷蓀1992b：138-144)。四川目連戲則以眞人扮演寒林，由當地一個倒霉的袍哥、賭棍、或乞丐等飾演寒林，躲在鎮上的酒肆中吃喝，等待五猖神前來捉拿回去，然後再用一個紙紮的替身代表寒林鎖在台下，直到戲演完爲止。「捉寒」的聲勢往往十分浩大，甚至民國十九年豐都縣還令寒林先逃到外地，然後懸榜告示，動員所

有袍哥前去找尋，花了二十多天才捉回寒林（黃傳瑜1991：9-10）。

　　「劉氏逃台」就是《陶庵夢憶》中的「劉氏逃棚」，演出無常鬼捉劉氏入獄，而劉氏逃竄到台下觀衆席間，觀衆幫忙捉她回台的經過。四川目連戲有「打叉」一幕，演出目連叩開鐵圍城後，五方野鬼盡行逃散，其中包括劉氏、金奴、李狗等人，所以衆鬼投擲鋼叉，四處追捕（黃傳瑜1991：11）。而江西弋陽腔目連戲則有「捉劉氏」（毛禮鎂1992：17）[19]，辰河目連戲有「叉打劉氏青堤」，演出時使用眞的鋼叉來叉打劉氏，危險性極高，在一番驚險的打叉絕技之後，纔終於將劉氏叉在台上(李懷蓀1992a：93）。福建莆仙戲也有五鬼「捉劉四眞」的演出，衆鬼須在台下追逐劉氏，一直追到村里中，環繞房子數圈，整個過程非常酷似古代驅疫行儺的儀式(林慶熙1991：33)。而祈劇目連則演「打叉」，爲劉氏在過滑油山時因爲險阻難行故逃跑，卻被鬼卒追趕捉回獄中的經過(劉回春1993：91)。上述各地「劉氏逃台」的情節雖然稍有不同，有的是劉氏死時被鬼卒捉拿入獄；有的爲劉氏在陰間不堪其苦而逃脫，又被捉回；有的則是目連打開地獄門，劉氏等人趁機逃跑卻被鬼卒追捕；然而事實上這些演出都是相同的一幕：鬼卒和觀衆一同捉拿四處逃竄的鬼魂，然後將其收服，又釘在台上。

　　「女吊」演出耿氏因爲被丈夫誤會不貞，遂上吊自殺，衆鬼在得知消息後，爭相上台前去尋找她作爲自己的替身，但卻被普化和猖神（或韋陀）驅逐下台，逃竄於觀衆席間，這時觀衆也跟著一起加入追打吊鬼的行列。各地目連戲幾乎都有這個場面，只是名稱稍有不同，譬如江西弋陽腔目連戲爲〈金氏上吊〉（毛禮鎂1992：16-17），祈劇目連爲〈海氏上吊〉(林一1993：351)。浙江紹興目連戲則爲「趕吊」和「趕鬼王」，前者與「女吊」相同；

後者則是鬼王演完戲之後，必須從台上跳入觀衆席中，而觀衆手執火把、棍棒或湯叉一路追趕，所以演員還必需很強壯，才能應付觀衆如此的窮追猛打，最後鬼王逃到亂墳堆草荐的棺材上騎一騎，或者是奔到河邊去迅速洗臉卸妝，觀衆才不得再行追打（蔡豐明1993：20）。川劇〈耿氏上吊〉一幕又稱「算替身」，並有用米打鬼以驅散之的習俗（黄傳瑜1993：10），除此之外還有〈李氏上吊〉〈彩霞上吊〉〈三上吊〉等都是類似的齣目（張有漁1993：172）。

　　這三幕雖然在各地演化成各種面目[20]，但基本的主題卻相當一致，都是結合台下的觀衆一同追趕鬼魅，所以不論是鬼由台下被捉到台上（如「發五猖」、「捉寒林」），或是從台上驅逐到台下（如「劉氏逃棚」）、或由台下到台上、然後又逐回台下（如「趕吊」、「趕鬼王」），其實都顯示出同樣的主題：驅邪捉鬼。並且各種演出方式最大的變化就在由不同角度去打破舞台界限：或是從台上奔到台下，或是從台下奔到台上，使得觀衆可以親自參與戲劇的演出，而不再只是一個旁觀的局外人而已，同時觀衆也可藉此直接與鬼神接觸，集體進入一個過渡到神聖領域的「中介」狀態之中。因此這幾幕戲在劇本裡多只是三言兩語簡略地帶過，對於情節的發展微不足道，可有可無，但是等到了實際的舞台上卻反而位居要角。因此它們並非客觀觀賞的娛樂行為，而是由台上台下共同參與完成的「驅邪除疫的儀式」（purifying or protective rituals)(David Johnson 1991:17)。正如 David Johnson所說目連戲中「行為遠比語言有意義」（action speaks louder than voice)(ibid)，因而我們與其將目連戲視作文學性濃厚的戲劇藝術去欣賞，其實還不如去觀察它在實際演出時與庶

民宗教儀式相結合的意義。

戲中另一不容忽視的儀式是超度亡魂,除了劇末多有〈盂蘭盆會〉顯示佛教普度眾生的目的(詳見第一節)之外,劇中超度亡魂的儀式亦一再反覆出現。泉州傀儡目連戲中演至傅相死時須作一次超度亡魂的功德套,演至劉氏死時又須重複再做一次(黃錫鈞1990:147)。四川目連戲有靈官鎮台、擺焰口超度亡魂等儀式(嚴樹培1993),並立郗式幡,超度梁武帝后郗氏的亡魂,還請和尚道士念經作道場(黃傳瑜1993:10)。至於喪葬儀式根本以超度死者亡魂為目的,台灣喪葬中「破獄」、「打血盆」的儀式:目連燒掉轉輪,斬沙蛇沙龜,以錫杖破沙堆,並將沙堆撥開以示放出亡靈,以及孝眷喝血酒,象徵代母解除生產時穢血污天薰地之罪(王天麟1994),戲劇與儀式根本已經結合而不分。

「驅邪除穢儀式」與「超度亡魂儀式」雖然表面現象不同,其實二者的基本理念卻是相當一致的:都是在藉由儀式將鬼魂驅離人類的世界。「驅邪除穢儀式」類似打鬼逐疫的儺儀,採取的是積極威嚇的方式,強行驅逐鬼魅;而「超度亡魂儀式」如盂蘭盆會,則是採取軟性安撫的態度,用祭祀的方式懷柔鬼魂,以達到人鬼之間的和諧(呂理政1990:217)。所以不論哪一種儀式,都是將世界區分為神聖與世俗兩個範疇,儀式則為溝通這兩個世界的「中介」行為,唯有透過這「中介」行為,人類纔可以與鬼神溝通,而驅除或安撫鬼魅的目的也纔得以完成。

綜合以上論述,目連戲有別於一般戲曲的宗教神聖特質已是昭然若揭。它是村民主動共同參與的義務行為,演出時沒有舞台的界限,台上台下共同進入一個恍若真實的作戲狀態中。所以與其將目連戲視作舞台的戲劇藝術,還不如把它視作「中介」儀式

來研究,方才更能貼進它的本質。從它演出的特殊時間、「潔淨」的空間、「上西天」「下地獄」兩大由俗入聖歷程為主的內容、以及繁多的儀式與禁忌行為,均清晰顯示出它的神聖特性。必須再度強調的是,將目連戲與其他世俗戲曲區隔開來研究是有意義且十分重要的,誠如上面所指目連戲是「中介」性的儀式行為,而一般戲曲為「類中介」的藝術,二者本質不同,研究時若以相同標準去衡量必會產生誤解,而歷來學者也多因為混淆了這兩個不同層次的問題,所以才對目連戲產生偏頗不一的論斷。

目連戲固然是藉由目連故事來進行驅鬼除疫的目的,但如此一來,我們不禁要追問它與同是驅邪除疫的儺戲有何差別?從演出的層級來看,儺戲活躍在偏遠鄉間,位居於小傳統的底層,所以相形之下,目連戲顯然較為靠近大傳統的核心,受到主流文化的指導與影響也較深。因而儺戲充滿原始巫術迷信的色彩,但目連戲卻一直不曾脫離儒家倫理道德的統攝。故單由宗教層面實不足以究竟目連戲的特徵,依照本文所提出宗教與道德二元子系統的研究模型來看,宗教僅僅只能說明目連的一個側面,至於道德則構成了目連戲另一不可或缺的側面。以下第三章將針對此作進一步的分析。

【註釋】

[1]諸位學者雖然指出目連戲是宗教戲 , 但卻只有陳述目連戲與宗教的關係,並未進一步說明宗教劇的意涵何指。譬如周作人(1993)指出目連戲目的「顯然在表揚佛法」;譚正璧(1957)則指出目連故事與印度佛教的淵源關係;鄭振鐸(1957)以為中元節上演,故成為「實際上的宗教戲」。鐵耕〈目連戲三辨〉認為目連戲之所以為宗教劇,有如下三點

原因：一是目連戲的故事源自佛經；二是目連戲宣揚佛法無邊、因果輪迴的思想；三是目連戲和宗教活動連在一起演出（鐵耕1989：94-95），但這三點只能說明目連戲與宗教的關係，無法說明它具有宗教神聖性質的特色，故本章將由此觀點出發。

[2]楊慶堃(1961：294-295)指出「組織性宗教」(institutional religion)的特性有三點，一是有獨立神學體系(independent theology)或宇宙人生觀(cosmic interpretation of the universe and human events)，二是有獨立敬神拜神的儀式（ independent form of worship consisting of symbols and rituals)，三是有獨立的神職人員組織負責教義闡釋及祭儀(independent organization of personnel to facilitate the interpertation of theological views and to pursue cultic worship)。值得注意的是這三點都特別指出「組織性宗教」的獨立性，相對於此，「混合宗教」信仰則混融在社會制度與風俗習慣中，一般中國人甚至無法感覺到日常生活中有宗教的存在。

[3]莆仙戲《目連救母》〈蘭盆盛會〉一折沒有劇情，只有眾僧道上台唸《心經》全卷，舉行禮懺。或湘劇《目蓮記》〈盂蘭會〉中和尚作盂蘭大會，亦無情節，茲錄如下，以見戲劇結合法事的演出形態：

（目連）（介）南無西方極樂世界一切諸大菩薩，（介）南無十方三界一切諸大菩薩，（介）南無清虛空界一切諸大菩薩，（介）南無本府本縣城隍、本境社令、當方土地一切諸大菩薩，（介）南無大慈乳真堪供香繚繞蓮花動諸大菩薩，下天宮、清涼山，羅漢來受人間供。南無香雲菩薩，菩薩摩訶薩，（介）曹溪水一派往東流，觀音瓶內除災咎。醍醐灌頂滌塵垢，楊枝灑去潤焦枯，咽喉中甘露自有瓊漿透。南無清涼地菩薩，菩薩摩訶薩。（介）到場圓滿送如來。（介）腳踏蓮花朵朵開。（介）文殊騎著青獅子。（介）普賢跨著白象來，遠龍

神登寶殿，南無，架起祥雲。（介）合家大小保平安，（介）諸大菩
薩摩訶薩，（介）摩訶不惹波羅蜜。（下介）

[4]《盂蘭盆經》和《報恩奉盆經》中均直接說目連母親墮入餓鬼，卻沒有
描寫地獄的景況。至於目連入地獄的經過則見於其他與救母故事無涉的
釋典，如《撰集百緣經·餓鬼品》、《餓鬼報應經》等等（陳芳英1983：
7-18）。至於〈目連緣起〉中雖有對地獄「刀山劍樹」、「鐵犁耕舌」
的精采描繪，但卻沒有一殿至十殿重重審問的過程。而〈大目乾連冥間
救母變文〉中雖有重重地獄的描繪，但對於目連上西天求佛的歷程亦付
之闕如，只云「須臾之間，即至婆羅林所」。因而目連戲對這上天堂、
入地獄有遠超過佛經變文的詳盡描繪，同時這二大歷程在目連戲中亦別
具意義，詳見第三節的討論。

[5]任半塘《唐戲弄》(1985：739-745)提及「三教論衡，　北魏已漸，北周
已盛」，而唐代在麟德殿道場設三高座，由儒、僧、道三人相互問難答
辯，乃開宋雜劇《三教論衡》之機局。但此三教劇中儒、僧、道站在對
立局面，相互答難，與目連戲中儒、僧、道攜手共游、一同勸善的情景
大不相同，可見由唐入明所經過的重大轉變。詳參余英時《中國近世宗
教倫理與商人精神》(1987)。

[6]誠如余英時指出：無須把新儒家視爲「某一特殊社會階層或集團的利益
而特別設計的」，在這波宗教改革的風潮中，沒有階級的差異。張載說
「凡經義不過取證明而已，故雖有不識字者，何害爲善？」(余英時1987
：82-83)，可見三教向庶民階級發展的嘗試。只是不同階級採用不同角
度去接受三教，而詮釋的方式也就難免相異。本文因是以庶民倫理的角
度出發，至於文人哲理式的探討暫且不論。

[7]茲舉李懷蓀〈辰河目連戲神事活動闡述〉一文記載的包臺師所唸「請神
辭」，就可看出目連戲中的神祇涵括了佛道二教，甚至還包括了代表儒

家忠義道德的關聖帝君、岳武穆等，其辭如下：

> ……弟子造起宮殿寶座，迎接諸佛仙神：昊天金闕玉皇大帝，三元三
> 品三官大帝，文昌開化梓潼帝君，中天星主紫微大帝，溫王馬四大元
> 帥，三天門下糾察大帝，披髮仗劍眞五祖師，乾元赤帝火官正神，本
> 郡城隍福德大王，當坊土地里域正神，九天司命太乙府君，天地水陽
> 四值功曹，水火二將把門將軍，日月二宮陰陽上神，南北二斗二位星
> 君，雷公電母風伯雨師，五嶽聖帝四海龍，上宮下廟血食之神，天地
> 虛空過往仙神，西天啓教牟尼文佛，南海普陀觀音菩薩，文殊普賢二
> 大菩薩，幽冥教主地藏菩薩，風調雨順四大菩薩，威鎮山門護法韋
> 陀，西天諸佛十八羅漢，八百阿羅三千揭地，二十四位諸天菩薩，蓋
> 天古佛關聖帝君，精忠報國武穆侯王，揚州得道張良魯班，五穀大王
> 地脈龍神，威鎮五溪伏波侯王，斬龍得道楊泗將軍，飛山太公威遠侯
> 王，江西福主許仙眞君，威靈顯應普濟天后，南張姚雷四大侯王……
> 諸佛仙神，請領受眞香。（李懷蓀1992b：131-132）

[8]如辰河目連戲神事活動中自始至終貫穿著道教五方（東、西、南、北、
中央）神體系，在鎮台儀式後所貼「五方五位鎮台符」即屬於此(李懷蓀
1992b：115)。或如台灣目連戲與道教拔度齋儀的結合 (李豐楙1992)，
都顯示目連戲頗多借助道教儀式之處。

[9]儺是古人出於原始宗教思惟而行的一種驅邪逐疫儀式。現今可以考知有
關儺起源的最早記載爲周代，如《論語》〈鄉黨〉「鄉人儺，朝服而立
於阼階」，或《周禮》〈夏官・方相氏〉載「方相氏掌蒙熊皮，黃金四
目，玄衣朱裳，執戈揚盾，帥百隸而時難(司儺)」。據饒宗頤考證《世
本》「微作禓」一語的結果，儺更可上推至殷商時期，本爲殷禮，於宮
室驅除疫氣時行之（饒宗頤1993：31-42）。

[10]關於團結相同信仰的人於一個集團之內，涂爾幹提出「教會」這個名詞

來解說宗教是一種集體性的事物，所以它與巫術 (magic) 的個人獨立行為有別(涂爾幹1992：44-49)。筆者不採取「教會」(church)這個名詞，乃是因為「教會」往往使人聯想到西方的「組織性宗教」，中國「混合宗教」雖然缺乏教會的組織，但是宗教行為仍然附著在其他世俗社會組織內舉行，所以亦是一種集體性的事物，例如社區居民集體參與作醮酬神，或宗族的祭祀祖先等，在儀式舉行期間都形成集體全面參與的大規模社群，只是未像「教會」一般清晰易辨。

[11]黃文虎 (1988：183) 考據高淳長期流行許多劇種，例如高腔、徽劇、京劇、花鼓戲、錫劇等，彼此之間都有劇目的交流和音樂表演之間的相互影響，惟獨目連戲與其他劇種之間極少影響交流的痕跡，甚至音樂方面目連戲也多吸收宗教音樂和民間小曲，卻很少吸收兄弟劇種的音樂。因此在宗教神聖特質所造成的保守性格之下，目連戲當然容易保存古老演劇的原始面目。

[12]李亦園指出「社會衛生學」(social hygiene)的儀式可分作神媒童乩和鄉黨地域祭儀 (compatriot-territorial cult) 兩種。童乩以「血符」(bloody charm)來滌除不潔的鬼魅，而鄉黨地域祭儀則藉由驅除邪祟儀式完成。這種儀式的特性是強調群體界限的保持，增加集體意識（李亦園1983：13-15）。目連戲的儀式正具有上述滌除不潔的特性，同時它以村落作為演出的單位，顯現地域的界限。儀式也以村落街坊為舞台舉行，神聖空間的建立正象徵以地域為界而團結為一個集體。

[13]茲舉由容世誠、張學權所製的莆仙《目連救母》齣目對照表為例，就可以看出不論是演出三日本或一日本（容世誠、張學權1994：6-9），雖然劇本長短相差很大，但是像〈三官奏事〉〈城隍掛號〉〈閻羅接旨〉〈世尊說法〉這一類的戲碼卻一直是演出的重點，從未遭到節刪。

[14]觀音化作美貌女子，引導男子情慾，而勸使他們皈依三寶的例子很多，

澤田瑞穗〈盂蘭觀音的傳說〉(1985)一文對此作過詳細的探討。但是須注意這些傳說中新娘在新婚之夜就馬上死亡,所以觀音仍然保持她的神聖性,至於密教中「歡喜佛」乃觀音菩薩以淫慾使歡喜王誓歸佛法,因牽涉到的是密教教義,與目連戲不同,在此不作討論。

[15]田仲一成以為「目連戲的觀眾,不是人而是靈位。目連戲是表演給鬼看的」(田仲一成1988:228)。但也不盡然如此,因為目連戲已非一種觀賞娛樂的戲劇,重點是藉由這樣的儀式,人和神鬼就可以在這一方神聖空間中交流共處。目連戲中扮演的重要性遠大於觀賞,如何讓觀眾進入做戲的狀態之中才是它的目的,至於觀眾究竟是人或是鬼神,可能不具太大的意義。

[16]有些戲將目連上西天的歷程簡化濃縮,惟獨目連歷經十殿救母的過程從變文以來就不斷渲染擴充,不曾減省,因為其多與超度亡魂儀式結合之故,如徐宏圖(1995a)調查浙江孔村落茄宮演出即以「破獄」和「拜十殿」為主。

[17]弗雷澤認為宗教與巫術最大的差別在於宗教使人類認識到自己的無力渺小,所以屈從在人格神的意志之下,但巫術卻自大地宣稱人類可以巧妙操縱宇宙自然的力量(弗雷澤1991:75-91)。然而這種說法視人類進化的過程為逐漸認識到自己的渺小,未免欠缺說服力。涂爾幹反對此種說法,以為巫術「交感」手法的運用乃是向宗教借取,而二者差別在於宗教是一種集團的神聖性事物,巫術則是個人以世俗利益為目的的行為(涂爾幹1992:407-408)。

[18]涂爾幹指出男女交媾禁忌的原因還尚待研究,這可能是因為女人屬於世俗範疇,也可能性行為本身就是可怕的(涂爾幹1992:363)。不過這都顯示宗教藉由禁慾的苦行主義,以脫離世俗生活,達到神聖境域。

[19]弋陽腔目連戲還有「捉叉雞婆」一齣,乃是由「王婆罵雞」衍生出來的

情節，扮叉雞婆者先混在台下觀衆席間看戲，而鬼卒下台巡視，從她身上捉出一隻雞，才被捉上台去審問(毛禮鎂1992：17)。這種演出和「捉劉氏」或「捉寒林」十分類似，都是突破舞台的界限，四處捉拿不祥之物，屬於「驅邪除穢儀式」。

[20]如《超輪本目連》有〈上叉〉一齣相當於「打叉」，至於目連破獄後則爲〈掃檯〉一齣，爲鍾馗奉旨收緝傅羅卜放出的冤鬼，與「跳鍾馗」極爲相似，或如川劇、辰河目連戲的「跳靈官」「抬靈官」都是在驅逐邪疫(邱坤良1993：355)，情節雖不儘相同，但事實上作用一樣，都以降服鬼魅爲目的。

第三章　目連戲中的道德

　　涂爾幹(1992：430)以爲，以宗教象徵形式出現的道德力量，是值得重視的眞正力量。依據本文所提出的研究模型來看，道德正是目連戲除了宗教之外另一不可或缺的子系統，這一套與宗教相併出現的道德系統是否眞對廣大民眾具有影響力呢？《戲文》序言中鄭之珍自述著書的主旨云：

　　　　乃取目連救母之事，編爲勸善記三冊，數之聲歌，使有耳者共聞，著之象形，使有目者共睹，至於離合悲歡，抑揚勸懲，不惟中人之能知雖愚夫愚婦，靡不悚側涕洟，感物通曉矣，不將爲勸善之一助乎？

卷中〈開場〉又道：

　　　　古聖書囊奧妙，皇朝法綱嚴明，幾人讀得幾人遵，不負聖皇立訓。演戲少扶世教，長歌庶感人心，假饒看了不關情，有愧游魚出聽。

以及卷下〈開場〉道：

　　　　新編孝子尋娘記，觀者誰能不悚然。搜實踪，據陳編，括成曲調入梨園。詞華不及西廂豔，但比西廂孝義全。

　　都一再指陳「神道設教」[1]的主張。使人在觀劇之餘，還能師法劇中的道德模範，以達到勸善懲惡的目的。劇末胡天祿跋云：

　　　　予詳觀之，不過假借其事，以寓勸善懲惡之意。

王先謙〈跋檜門觀劇詩〉亦云：

　　弦管撩人欲放顛，蘭芳鮑臭任流傳，不乖臣子興觀義，只
　　有《精忠》與《目連》。

可見民間戲曲雖然多宣揚道德教化，但目連戲教忠教孝的意味卻
更加強烈，絕非僅是一種消遣娛樂而已。故如鄭之珍《目連救母
勸善戲文》、張照《勸善金科》、以及徽州目連戲中《勸善記》、
《罰惡記》等等，便多以勸善罰惡作爲劇名。不只文人重視目連
戲教化的功效，就連民眾也將其視之爲是「勸善書」、「勸善文」
（沈繼生1991：112），目連戲重視道德教化的程度可見一斑。

　　然而目連戲宣揚的道德理念爲何呢？它淵源於佛教，但是劇
中的道德規範卻是以儒家的忠、孝、節、義爲主。浙江新昌前良
1937年抄本《救母記》分仁、義、禮、智、信五大冊，以及辰河
花目連劇目中宣揚匡國卿「忠」的《火燒葫蘆口》、鄭賡夫「孝」
的《蜜蜂頭》、耿氏「節」的《耿氏上吊》，以及王桂香「烈」
的《攀丹桂》，都以儒家倫理作爲演劇的綱領。四川何育齋在所
校刊的敬古堂刻本川劇《音注目連金本全傳》結尾處寫道：「目
連戲願三宵畢，忠孝節義四字全。」也顯示內容以儒家倫理道德
爲主。所以目連戲劇目雖然龐雜，我們卻依舊可以由忠孝節義的
思想上尋繹出一致性來，其內容多半是通過搬演歷朝歷代興衰演
變的故事，以警戒亂臣逆子，貶斥不忠不孝（杜建華1993：213，
217）。故佛教教義與儒家倫理在目連戲中不僅並存不悖，甚至還
彼此混融難分。

　　由於佛教傳入中國之後，形成中國式的佛教，它與印度佛教
的根本區別就在於中國佛教調和了以孝道爲核心的儒家倫理（方
立天1990：284），所以目連戲將佛教故事納入儒家忠、孝、節、義
等倫理的軌跡之中(李懷蓀1993：56)，與儒家傳統文化互相協調適

應，可以說正是一個佛教倫理道德觀中國化和本土化的結晶（胡天成1992，沈繼生1991：111-112）。歷來學者在探討目連戲的道德時，也多著重在儒家倫理的層面，尤其提出忠、孝、節、義四大主要道德條目來討論（薛若鄰1992：14）。陳芳英（1983：66）指出：明末世亂，佛教盛行，故以儒之敬愛君親，崇尚節義，借眾人信奉之佛教，達到淪肌夾髓之功，使百姓「感傅相之登假，則勸于施佈；感益利之報主，則勸于忠勤；感曹娥之潔身，則勸于烈節；感羅卜之終慕，則勸于孝思矣。」（葉宗春敘《勸善記》）。而有些學者則著眼於統治階級和民眾意識之間的鬥爭，或認為劉氏是被壓迫階級的苦難代言人，目連行孝則象徵著「挽救人民的生靈塗炭、解救被壓迫者的倒懸之苦」（劉楨1992：60-61）[2]；或是以為目連戲目的在令「愚夫愚婦」按照著封建階級統治思想和倫理道德規範去思想、去行動（李國庭1990：167），乃是統治者藉以鎮壓民間的說教工具（胡士瑩1980：25）。[3]

　　但上述說法卻都存在著一大侷限：不論是著眼于目連戲裨益世教、感化人心的功效，或是著眼于統治者控制民眾的手段，都不免將這套道德規範視為是統治階層對庶民單方面的統攝和灌輸，而忽略了庶民社會雖然處於大傳統之下，卻也有自己旺盛的生命力，足以演化滋長出一屬於小傳統的文化來。如果我們只站在統治階級或是大傳統的角度去探討，難免受限於文人的偏見，而無法見到目連戲與庶民心靈相契合之處，也就無法去解釋它在民間廣受歡迎，蓬勃演出而歷久不衰的原因。

　　既然單從儒家倫理或封建道德這些概念都無法窮盡目連戲的庶民道德體系，因此本章欲深入討論的幾個問題如下：首先釐清目連戲中的庶民倫理與大傳統間有何淵源以及變異？然後進一步

探討其道德體系的具體內涵爲何？顯現出何種國民性格和行爲價值？繼之討論的是目連戲中這套道德系統與宗教之間有何關係？它藉由何種方式去勸導民衆實踐遵行？希望透過這些討論，能夠稍增對於庶民文化的了解，去除向來以主流文化爲唯一探討對象的偏頗[4]，而摸索出一條正確認識庶民心靈的道路。

第一節　庶民社會的倫理道德

一、「儒家傳統」與「儒教中國」的區分

　　首先解釋「道德」一詞所涵括的意義。艾朗遜(Elliot Aronson)將規範依照遵循的動力區分爲三種類別：一是「就範」(compliance)，專指在威逼或利誘的情況之下的遵循；二是「認同」(identification)，個人認同某人或某群體，從而遵守其所信守的規範；三是「植入」(internalization)，通過教化過程，把社會的規範內植於個人心中（張德勝1989：73）。第一類屬於強制性的成文法律，第二、三類則是屬於道德的範疇。因此，道德乃是一種透過「認同」和「植入」的方式，以調節人與人之間、及個人與社會之間關係的行爲規範的總和（楊曾文1990：212，陳秉璋1990：167）。然而行爲規範和道德價值系統是否就眞的能夠影響民衆實際的行爲呢？根據研究結果顯示，在傳統中國社會裡這個答案無疑是肯定的（李亦園1978：35）。因此道德不僅是一種抽象的外在行爲規範，還可以解釋實際生活中國民性格(national character)或衆趨人格(modal personality)的價值取向（文崇一1992：47），顯示出絕大多數人在思想、情操、及行爲上所表現

的某種大概固定形態（楊懋春1992：127）。本章便擬從上述角度去討論目連戲中的道德內涵。

　　中國向來被公認爲是一泛道德的社會，其文化價值的核心就是道德價值(文崇一1988)。梁漱溟(1982)以爲相對於西方，中國乃是「以道德代宗教」，強調的是個人理性的自覺自律精神。[5]這種說法雖然指出道德在中國文化中占據一絕對重要的地位，但是卻犯了單就儒家經典去論傳統文化的錯誤。誠如杜維明(1992)所指出，「儒家傳統」和「儒教中國」乃是分屬於不同層次的歷史現象和價值系統：「儒家傳統」是中國文化的主流，由先秦儒家、宋明理學、到清儒顧嚴武、戴震等深具批判創造力的知識分子一脈傳承下來，著重在發展自覺反省的人文精神；而「儒教中國」則可以理解爲以政治化的儒家倫理爲主導思想，所形成的中國傳統封建社會的意識形態及其在現代文化中各種曲折的表現，屬於長期在廣大群衆中積累起的風俗習慣的課題。簡言之，「儒家傳統」反映的是大傳統中少數知識分子菁英的理想精神，而「儒教中國」所體現出來的才是大多數中國人的實在意識（王和1992：89）。

　　根據前段所述，道德代表的是社會中「衆趨人格」的價值取向，所以若欲探究中國傳統社會的道德價值體系以及國民性格，就應該從大多數民衆，也就是屬於小傳統的「儒教中國」層面去著手才是，方能更加貼近中國社會道德的眞相。[6]。誠如本文第一章所指出，目連戲乃是一屬於小傳統的庶民文化，所以其中的道德內涵屬於「儒教中國」的層次，在《安徽通志》《民國祁門縣志・藝文考》的記載中就清楚說明了這兩個不同層次的區分：

　　　　目連救母勸善戲文，明鄭之珍撰。……特撰目連救母勸善
　　　　戲文，俾優伶演唱，以警世人。……故非鄭氏創造，不過

> 一經此書宣傳，流行尤爲普遍耳。徽郡自朱子講學後，由
> 宋逮清七百餘年，紫陽學脈，綿綿不絕。江戴興而皖派經
> 學復風靡天下，然支配三百年來中下社會之人心，允推鄭
> 氏。……其力量之久遠溥極，洵爲可驚也。

（引自茆耕如1993：146）

朱子經學屬於「儒家傳統」的菁英文化，然而支配社會上大多數
人心的卻是屬於「儒教中國」層次的目連戲。所以探討目連戲的
道德內涵，正可以增進對中國傳統道德價值體系以及國民性格的
了解，彌補學者向來偏重大傳統文化的研究，而忽略了俗世社會
倫理的缺憾。

二、由大傳統到小傳統：儒釋道 三教合一的倫理世俗化

目連戲出自庶民社會，其中揭示的道德體系屬於小傳統「儒
教中國」的層次。所以它與「儒家傳統」的關係可以圖示如下：
（圖一）

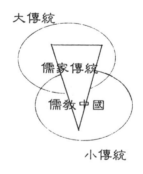

（圖一）

大傳統和小傳統固然是互相獨立，但也不斷地相互交流；所以大傳統一方面既是根源於民間，但在另一方面，當大傳統形成之後也會通過各方管道再回到民間，並且在意義上發生種種始料不及的改變。和其他文化相比較，中國大、小傳統之間的交流似乎更爲密切暢通，彼此共同成長，互爲影響。自從漢儒用通俗的陰陽五行觀念取代先秦儒家的精微哲學論證，而形成儒教開始，儒教的基本教義就成爲聯繫大小傳統的中心，這聯繫的工作是由具有循吏身份的儒士來完成，他們擔負起傳承教化的使命，負責把儒家理念傳播到各個階層去(余英時1992)。因此在(圖一)中，小傳統一方面承受著「儒家傳統」主流文化的指導，但在另一方面，當這些道德價值由知識份子的抽象省思落實到庶民社會的實際生活之後，內涵也會隨之產生轉移變異，而在社會大眾中形成了「儒教中國」的現象。

必需注意的是，儒家雖是影響中國社會的主流文化，但卻不是唯一的要素。鄭志明討論中國俗世社會時便指出：傳統俗世基本上是接受大傳統儒、道、佛三大脈流(鄭志明1986：209)，而形成一由「儒家社會」、「道家社會」、「佛家社會」所組成的「三教社會」，是儒釋道三教思想世俗化的結果(鄭志明1993)。余英時(1987)也以爲中國宗教倫理乃是儒釋道三教合一的產物，他論及三教倫理融合演化的過程時說道：

> 這宗教的轉向最初發動之地是新禪宗。新儒家的運動已經是第二。新道教更遲，是第三波。新道教一方面繼承了新禪宗的入世苦行如「不作不食」、「打塵勞」(「塵勞」也是禪宗用語)，另一方面又吸收了新儒家的「教忠教孝」。這便是唐宋以來中國宗教倫理發展的整個趨勢。這一長期發

展最後匯歸於明代的「三教合一」，可說是事有必至的。
從純學術思想史的觀點說，「三教合一」的運動也許意義並
不十分重大。然而從社會倫理和通俗文化（popular cul-
ture）的觀點說，這一運動確實是不容忽視的。

（余英時1987：80-81）

這段話指出兩個重點：第一，大傳統的儒、釋、道主流文化在三
教合一的風潮中，步上了世俗化的走向。也就是脫離哲理式的玄
思，而落實到實際社會生活之中，成為扣連起大傳統和小傳統的
關鍵(見第二章第一節)。第二，佛、道、儒三教互相吸收、融合、
演化，在庶民社會中孕育出「通俗文化」(popular culture)，
而與士大夫菁英分子的「上層文化」(elite culture)區隔開來，
至於真正影響著絕大多數中國人思想與行為的倫理道德觀，正是
出自此一「通俗文化」的層次。(余英時1987：146，168)

三、涵化：庶民社會詮讀大傳統的方式

因此當我們使用「儒教中國」這一名詞去指稱中國俗世社會
時，實際上融括了三種層面，如（圖二）所示：

（圖二）

首先是「儒家傳統」主流文化的指導；其二是「三教合一」的宗教倫理世俗化；其三是庶民對前二者的詮讀方式。庶民對待大傳統主流文化的方式，並非單純地全盤接受，而是有所揀擇和棄取，故形成特殊的市民倫理，甚至更能進一步地去修改大傳統的道德體系，賦予其新的內涵，以便符合實際生活中的運作與實踐（鄭志明1986：346）。宋光宇(1984：3-4)即採用「涵化」(accultu-ration)這一概念，來形容上述民間道德系統揉和各種文化，然後創造出一個嶄新風貌的過程，這經過民間「涵化」後的庶民倫理道德，就是本章欲探討的重點。

　　討論目連戲的道德系統時，必需注意到中國文化裡不同層面的差異性和它廣大的包容性，如此才不致忽略庶民文化潛藏的豐富內涵，犯了以儒家忠、孝、節、義四字去籠統概括的弊病。目連戲在民間流播的過程中因為經過世俗化的改造，所以演化的明顯趨勢是由勸善懲惡傾向於談忠說孝，由宣傳宗教傾向於演繹世俗（杜建華1993：115-117），可以說已經遠遠地脫離開原來佛經故事的內容和理念，而改注入中國社會大眾的道德意識。不論是劇作家在戲中有意宣揚的道德觀，或是透過情節發展而無意流露出來的價值理念，都將包括在本文討論的範圍之中。

第二節　道德體系的基本模式

一、「差序格局」造成的道德分殊主義

　　儒家倫理是統攝中國道德體系的主要綱領。帕深思(Parsons)以為儒家道德與西方正相反，相對於西方道德的普遍主義，儒家

道德認可的為一個人對另一個人的特殊各別關係,所以屬於一種分殊主義的關係結構(楊聯陞1976:364-365)。費孝通(1988)則以「差序格局」來說明這種道德分殊主義的特性:相對於西方社會結構的「團體格局」,中國社會結構乃是一個所有價值都以「己」作為中心點出發的「差序格局」,在此格局之中依據親屬關係作為無限延伸的網絡;因此所謂「人倫」就是指從自己推出去,而和自己發生社會關係的那一群人所建立的一輪輪差序。儒家的倫理體系正是建立在這一「差序格局」上(文崇一1989:180),因為講究的是人際間相對的關係,所以道德標準缺乏超越私人關係的普遍性(費孝通1992),譬如「禮」就是一個道德分殊主義的標準例子。「禮」指的是一種特殊關係取向和階層取向(金耀基1993:40),也就是指受到「情境中心」(許烺光1989:41)或是「社會取向」(楊國樞1981:46)支配的生活方式,而非一普遍運用的不變原則。因此,傳統中國對於人與社會之間的思考是傾向於將個人視為社會網絡中的角色(role),社會遠比個人重要(呂理政1990:6),而道德也就是在規範個人如何去扮演好合乎自己身份的角色,以便於符合整個社會集體的要求。[7]

在分殊主義的原則下,韋伯以為相對於印度佛教的出世倫理,「儒教純是一般人入世的(innerworldly)倫理,所要的是適應這個世界及其秩序與習俗」,所以沒有「透過一種內在力量自傳統與習律解放出來而影響其行為的槓桿」(韋伯1989:217,303),也就是行為缺乏一內在價值核心(余英時1987:141)。韋伯的說法雖然忽略了「儒家傳統」中知識分子對於心性的探討,然而,就「儒教中國」的層次而言,他以為「儒教強烈的傳統主義本質是一個支配性的終極價值體系」(楊慶堃1989:55),這一觀點確實

是堅固牢靠的，也就是說在中國傳統社會中道德分殊主義顯然才是行為的原則，這與著重個人自省自覺能力的「儒家傳統」其實已經產生了本質上的變異。[8]

目連戲中的道德體系就是以分殊主義為基礎，儒家倫理成為判斷是非善惡的最高準則，這一點在〈過奈何橋〉[9]一折中顯而易見：劇中將人區分為上、中、下三個等級，忠臣、孝子、節婦屬於上等人；善人、和尚、道士屬於中等人；至於下等人則是那些違背人倫者，例如不守丈夫遺言的劉氏、打公罵婆的錢氏、通姦殺夫的李丁香、或是打爹罵娘的不孝子趙甲等等，都是以儒家倫理作為評斷等級的標準。〈雷公電母〉一折中雷公和電母負責霹打十大惡人，首先要打的就是「不忠」、「不孝」、「不弟」、「不義」[10]，也把違反人倫視為是十惡之首，罪不可赦。

在人倫至上的標準之下，其他與宗教相關的德性，譬如善男信女的慈悲布施，或者是出家人鍛煉心性的苦修，反而都退居其次，只具有中等的價值。若將目連戲與佛經目連故事相互比較，尤其可以清楚見到二者的差異，茲舉相關情節較為詳細完整的《盂蘭盆經》和《地藏菩薩本願經》為例：在《盂蘭盆經》中，雖然目連「為作盂蘭盆，施佛及僧，以報父母長養慈愛之恩」，然而救度的對象卻強調不只是現在父母，還包括了七世父母，慈悲救濟的胸懷可說普及眾人，而非僅限於現實生活中的親屬關係而已；《地藏菩薩本願經》中地藏菩薩為了救母更發大誓願，立誓救拔「罪苦眾生」，所以此二經不只云孝，還闡揚度拔眾生的慈愍博愛，字裡行間洋溢著悲天憫人、普度眾生的濃郁宗教精神。然而這種悲憫的宗教意識到了目連戲裡，卻是減至微乎其微，在演出盂蘭盆會時劇中多是再三強調家族倫理，譬如〈盂蘭

盆會〉一折慶賀傅相闔家團圓,並宣揚父母劬勞,子女必須行孝超度追薦[11];或是藉由演出盂蘭盆會的方式來進行超度法儀,內容只在誦念咒語,例如湘劇《目蓮記》〈盂蘭會〉一折(見第二章註三)。甚至有些劇情還出現與宗教普度眾生的悲憫胸懷相悖者,如豫劇《目連救母》〈佛山見子〉中目連因為搗開地獄門,放走八百萬餓鬼,所以被命令轉生為黃巢,「殺人八百萬,血流八百關,收回鬼魂」,目連由孝子的形象搖身一變成為殺人無數的黃巢,顯然完全背離了佛經普度眾生的宗旨。[12]這些都說明目連戲雖然源自佛教,但是卻以儒家分殊主義的倫理道德為極致,與宗教不分施予對象的普遍主義大不相同。所以佛教的利他思想雖然傳入中國,但卻不能改變中國人以個人和家族為中心所發展出來的道德觀(中村元1991:119),「慈善」這一宗教倫理在中國顯然並不發達(韋伯1989:276)。

這並非代表目連戲沒有慈善布施的觀念。傅相在會緣橋行十大布施的功德,以及羅卜的「行路施金」等等,都是慈善布施的具體作為。但這些慈善布施的行為卻只具外在形式,而缺乏一內在實質的意義(朱瑞玲1992),所謂作善事似乎就是向外散播錢財,「布施」幾成為了慈善的同義詞。《超輪本目連》〈求子〉一折中,陳金蓮用奉捐金釵一股來表示誠心積善;郎溪《目連戲》〈削金板〉中羅卜用十六兩來買不孝子趙甲的孝心,但是趙甲依舊打罵父親,而羅卜卻已經算是完成了布施積善的目的。因此行善的觀念停留在物質的施捨奉捐上,平日若出資造橋鋪路,金裝佛像、起造高樓的就是善人(見〈過奈何橋〉),這種形式化的慈悲布施方式,正是庶民道德流於教條化,缺乏一內在價值核心所導致的現象。[13]

由於人倫是一切道德之要，所以出家修道與個人人格的自覺無關，反而是爲了拯救父母，以完成孝道。目連爲了超度母親出家，曹氏也爲了超度婆婆出家，以求能與目連「僧尼兩下相幫襯，成善果，超度了慈魂」（〈求婚逼嫁〉）；莆仙戲《目連救母》〈公子打圍〉中的鄭公子或是雷有聲，也同樣爲了超度娘親才出家修行。出家本是佛教出世的修爲，與儒家入世倫理互相衝突抵觸，但是目連戲卻巧妙地連結起這兩種矛盾的道德觀：出家雖違背倫常，然而若是修行的目的是在超度爹娘，就反倒變成一種盡孝的方式了。[14]不只是目連，連經常進入目連戲中上演的《香山》[15]也是出家行孝的例子。《香山》內容敘述妙善公主立志出家，卻遭父親反對，表面上看來，妙善出家是悖逆人倫的舉動，但是最終她卻捨棄自己的手眼來醫治父疾，等到父親痊癒之後，赴香山還願，妙善方才受封爲觀音菩薩，故就故事總體而言，人倫仍然居於首要的地位。〈犬入庵門〉一折中尼姑云：

　　謂僧爲孝子可也，謂尼爲烈女可也，誰云削髮盡是滅人倫？

這種「僧爲孝子，尼爲烈女」的說法，正點出了目連戲中融合儒釋二家，而以儒家倫理爲最高準則的道德觀。

二、孝道：以父子倫爲核心主軸的家族倫理

在上述中國社會的差序格局之中，許烺光指出其核心主軸是父子倫（father-son identification）（Hsu 1975：240），所有的倫常關係都是依照此一模式去開展，而界定父子倫的「孝道」也就成爲維繫中國家族制度的主要德性（金耀基1993：58）。相對於「仁」爲「大傳統」的核心，「孝道」可說是中國「大傳統」與「小傳統」的核心，爲儒家孔孟理想的道德世界落實到社會上來

（同上引：70-72），與社會結構相互契合的一種倫理規範，因此「孝」位居人倫之首要。目連戲演出目連救母的故事，宣揚孝道的主旨自是昭然若揭，由〈壽母勸善〉中「百行孝為先」，或是借佛門之口來闡述孝道價值，如〈曹氏赴會〉中尼姑所云「人生百行孝為先，力孝須知可格天」，以及湘劇《目蓮記》〈坐禪〉世尊云「百行莫先於孝，人倫何重於親」，都極力將「孝」推崇到最高的地位。

強調家族世系的延續性(patriliny and generation)是以父子倫為主軸的社會文化特色之一(Hsu 1975：240)，個人存在的目的不是為了自己，而是為了團體的存在與延續(李亦園1978：239)，因此行孝最重要的任務就是在延續家族的生命，以及傳承祖先的理想和教化使命(楊懋春1992)。目連戲中羅卜出家雖然妨害到家族香火的傳承，但值得注意的是，劇末〈曹氏赴會〉及〈孟蘭大會〉幾乎都安排傅相、劉氏、羅卜，以及羅卜的妻子曹氏等一家人大團圓的場面，所以出家似乎變成一樁救母的權宜行為而已，當救度母親的目的達成之後，並不能妨害到家族的團圓，甚至目連與曹氏的夫妻完聚也暗示著家族延續的可能性。川劇《四十八本目連戲》《斬龍台》一齣中，耿氏因受丈夫劉全誤會而上吊自殺，但劇末卻仍然安排耿氏借屍還陽，與劉全再度完婚，都可見家庭團聚的重要性。目連戲並一再提出修善積德可以使子孫綿延不絕[16]，也是拿佛教因果報應的說法去與儒家家族倫理相契合的結果。因此目連戲中的佛教思想不僅不能威脅到儒家倫理，反倒還具有支持的作用，成為維繫家族結構與人倫的一大助力。

除了延續家族生命之外，傳承祖先理想和教化使命也是行孝的方式。傅相臨終時殷切叮囑羅卜和劉氏，必需依著他行事，安

徽郎溪《目連戲》〈囑別〉中云：

> 有道父在觀其志，父沒觀其行。三年無改於父可，可爲孝
> 矣了。……我今囑咐妻與子，謹記吾言不可違。齋僧道，
> 廣布施，敬重三官，如我在世。

故「孝在於善繼其志，善述其事」（〈壽母勸善〉）。莆仙戲《目
連救母》〈花園祈禱〉也有傅相叮嚀羅卜的類似情節：

> 書云：三年無改於父之道，可謂孝乎。……我平生所行之
> 事，汝母子終身，切不可改，吾在幽冥中，豈不快樂乎。
> 汝母子、母子，聽我話至，不忘素志。念佛持齋，依舊布
> 施，善始善終，勿搭我前功毀棄。

《超輪本目連》〈臨春〉羅卜亦云：

> 老母慎言，爹爹遺囑，交付我，他叫我，持齋把素，念佛
> 看經，戒酒除葷。娘休言，亦多愧。娘，兒一旦，受父
> 囑，父意叫我，父意叫我，三年無改於其父，三年無改於
> 其父。

孝行就是「無改於父之道」，無時無刻不以祖先傳承下來的家訓
做爲警惕，並特別指出不可以毀棄祖先積善的「前功」。在家族
倫理世代延續的觀念下，善行父子相傳，故祖先也可以積累功德
遺留給子孫，被視爲是一項珍貴的遺產，〈元旦上壽〉傅相云：

> 我存心積善，積書遺子孫，未必能讀；積金遺子孫，未必
> 能守。總不如陰功廣積在冥冥，便是兒孫久長根本。

以及〈十友行路〉引古語云「積善之家必有餘慶，不善之家必有餘
殃」，都說明家族是一個禍福共享的整體，所以個人的命運與作
爲並非只是向自己負責而已，而是須由整個家族來共同「承負」
（楊聯陞1976：359）。基於此種視家族爲一體、積善相承的觀念，

劉氏即以「我厝三代持齋，暫時開葷也何妨」（莆仙戲《目連救母》〈僧道勸解〉）為理由，大膽違誓妄作；當她被打入地獄之後，地獄一殿的蕭明王也以「姑念傳家一門持齋，三代為善」，特別赦免劉氏刑法(〈一殿審解〉)。正因善行被視做世代相承的家訓，不是屬於個人的成就(Feutchwang 1992)，所以目連戲除了宣揚羅卜個人的美德之外，祖先三代持善積德的題材就成為情節擴充的原則之一，譬如各地目連戲多有《梁傳》一齣，就在敘述目連祖先傅天斗拯救梁武帝的忠心，以及傅天斗之子傅崇為善，所以天帝才遣傅相投胎，並賜傅相蘿蔔，而劉氏食之遂生羅卜等，都以祖先持善積德之事來衍生情節。

中國社會就如同是一個展延的、巨型的、多面的家（金耀基1993：71-72)，人際間的關係模式相當於家庭模式的向外延伸，所以儒家倫理的本質可說就是「家族主義」(familism or patri-archism)(陳其南1994：279)。在家族主義的道德體系裡，中國人習慣用親屬稱謂將他人納入親族的關係網絡，以來決定彼此間的差序格局(黃光國1989：125)，因此目連戲忠、孝、節、義四個主要的人倫綱常，除了「孝」及「節」為界定親屬倫理的德性之外，「忠」和「義」的內涵也同樣採取家族倫理的模式去詮解，〈七殿見佛〉一折云：

> 人生俯仰間，君父恩何極，臣子報君親，當盡心與力。

以及〈壽母勸善〉云：「彝倫須是重君親」，把君王和父親一再相提並論，二者的形象疊合為一。至於代表「義」的益利，本與傅家為主僕關係，但羅卜卻以「義兄」相稱，〈主僕分別〉中益利云：

> 蓋聞家主分同君父之尊，若論僕人之義，猶臣子之比。…

…老奴報主之秋，猶臣子效力之日。……使爲奴僕之人，

少盡臣子之意。

將「父」、「君」、「主」視爲同一，「子」、「臣」、「僕」
視爲一，因此父子之「孝」、君臣之「忠」、主僕之「義」其實
都是同一個模式的演化，本質上並沒有差異。

如上將道德倫理與「孝」相互比附的情況，在目連戲中屢見
不鮮：譬如上等人爲忠臣、孝子、節婦，就是以「忠」、「孝」、
「節」三德並舉，立「臣盡忠，子盡孝，妻盡節」三綱（〈曹公
見女〉）；曹氏也將節婦、烈女比作是忠臣[17]；以及等同忠臣
孝子的「移孝作忠」觀念皆是如此。〈羅卜辭官〉一折宣讀皇帝
詔書：

朕惟臣子之道，忠孝一理；天人之際，感應一機。爲子而
孝可格天，爲臣必忠能報主，此古人之所以求忠臣于孝子
之門，徵人事于天道之應也。

因而社會上人際關係的網絡就等於是父子倫的延伸衍化，不論君
臣、夫妻、或是主僕之間的一切道德倫理，都可以用「孝」的模
式去解釋。

雖然其他道德倫理與「孝」並舉出現，然而在這個倫理體系
中象徵一國之父的君主，也就是所謂的「君父」，卻占有著至高
無上的地位。這種現象在文人所作的《目連救母勸善戲文》中尤
其明顯，劇中將益利的「義」、曹氏的「節」都比作是「忠」的
表現，而善人就如同臣僚般接受玉皇大帝的封誥，頻頻出現「感
皇恩」等字眼[18]，都顯示文人作品確實比較接近社會體制的中
心，有著濃厚的大傳統主流文化色彩。至於一般民間藝人所作的
目連戲，也可以看出在大傳統主流文化的統攝之下，「君父」、

「父」、「子」的階級秩序井然分明，如下（圖三）：

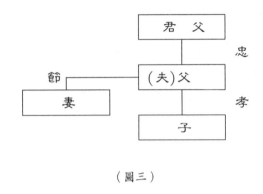

（圖三）

茲舉《超輪本目連》〈夜香〉及安徽郎溪《目連戲》〈燒夜香〉爲
例，劇中傅相、羅卜、劉氏三人焚香祝禱：傅相祈禱「佑吾王，
萬壽無疆」，羅卜則祈禱「願我爹福壽綿長」，而劉氏則是祈禱
「願我東人，福壽綿長」，便明顯呈現出如（圖三）的階級劃分。
不僅傅相代表對君王的「忠」，《梁傳》中目連的祖先傅天斗拯
救武帝，也代表著對「君父」盡「忠」，而曹氏的父親曹公也因
爲「君恩當報」（湘劇《目蓮記》〈元宵〉），所以離家遠征邊
塞。尤其在盂蘭大會上，眾人一齊接受玉帝的封號，叩謝聖恩，
更象徵臣服於帝王之下。因而在父子倫爲主軸的道德體系中，君
王藉著「君父」之尊，獲得一絕對崇高的地位，是以民間目連戲
雖不特別凸顯「忠」的觀念，但「孝」卻可以擴充到對「君父」
的「忠」之上。

三、以男性為中心的道德體系：女性的原罪

誠如上述所說中國社會以父子倫爲核心開展，是一個典型的

父系社會，故男性是道德倫理體系的中心基準。目連戲中劉氏的罪過顯然並非在殺生開葷，違反佛戒，而是在違反了這套以男性為價值依歸的道德體系。當劉氏向獄官辯解天下之人多食五葷，何以己獨獲其罪時，獄官回答道：

> 汝要知道食葷食素，各人自願，當食則食，陰間誰去管他？汝在夫主面前發過誓，願持齋布施。夫死之後，違誓開葷，殺狗作饅頭，冒犯佛戒，還敢當天咒誓，……今日受刑，何悔之有？（莆仙戲《目連救母》〈過滑油山〉）

開葷殺生，世人多有之，甚至連神明也不例外，《超輪本目連》〈議奏〉中就有土地公開葷的情節，而且目連戲演出時也多有撒雞血祭台的儀式，如〈五殿〉中鬼神受領雞血酒之後，才醉醺醺上路，都可見劉氏開葷殺生實在不足為過。《超輪本目連》〈議奏〉及〈奏事〉中指責劉氏「違夫悖子，罪其十惡」，把「故違誓願」的行為視作不可饒赦，也指出她真正的罪惡是在違背對夫及子所立的誓言。

　　劇中宣揚不可違誓的「不欺」，雖然看似一普遍的道德（見註八），但指的卻是不違背丈夫以及兒子的意願，也就是指以分殊道德為基本，一著重身份取向的「誠」。《蜜蜂頭》中的孝子鄭賡夫因孝而隱瞞繼母通姦之事；或是《攀丹桂》中孝女桂香因孝而甘願蒙冤，代替父親受刑，都為盡孝而做出欺瞞的行為，卻受到稱許贊揚，可見當分殊主義的倫理與「誠」這一普遍道德起衝突時，為了盡人倫可以犧牲掉「誠」，所以中國分殊主義的重要性確實遠超過普遍主義（楊聯陞1976：368），乃是行事的基本原則。故與其說劉氏的罪過在於「違誓」和「欺瀆神靈」，其實還不如更準確地指出：她的罪過是「違夫悖子」的擅自妄為，違反

了以男性為中心的道德倫理體系。莆仙戲《目連救母》〈沿途拜佛〉中目連特地懇求佛祖赦宥母親「女流無見識」，〈李公勸善〉中李公亦道：

> 婦人之德，莫大三從，在家從父，出嫁從夫，夫死從子。今安人受夫遺命而不從，有子善言而不聽。……也曾罰願告上天，夫君兒子皆在前，今日頓相違，如何見你夫君面。

「三從」就是以家族中的男性作為仲裁是非善惡的依歸。劉氏行善持齋，也是因為受到丈夫命令，而非出於她個人自由意志的抉擇[19]；當她想要開葷違誓時，最感到憂慮的也是「背夫言，心不忍，怕兒曹也不遵」(郎溪《目連戲》〈打掃勸姐〉)，恐懼會違反丈夫以及兒子，而非真的以開葷為惡。《超輪本目連》〈還陽〉勸婦人家道：

> 必須要三從四德，搖彈紡織，切不要走東家闖西家，搬得兩頭來相罵。你在中間做好人，公婆知道要罵，丈夫知道要打。……媽媽娘子家，公婆罵，半世熬，丈夫打，結髮妻。

不僅是遵從男性，也要遵從男性背後的整個夫家，特別勸諫婦女要順從公婆丈夫，克制自我的主見，必須安分忍耐方才是美德的表現。劇中明顯以男性作為道德價值體系的主導依歸。

女性最大的功用則在生育後代，維持父子體系的存續，使之不致斷絕。目連戲中女性多有為延續香火而犧牲者，譬如莆仙戲《目連救母》〈發誓歸陰〉中，劉氏害怕羅卜會哭壞身體，導致傅家香火斷絕，使她無顏見傅相，所以為了安撫羅卜，便索性發誓而死[20]；〈化金針〉或〈耿氏上吊〉一齣中妻子想藉積善行為以求得子，所以施捨金針給假扮僧道的騙徒，卻遭到丈夫誤

會，自殺冤死。此二者都在爲了延續夫家香火的情況下犧牲自己，這在《攀丹桂》一劇中更加複雜微妙地表現出來，首先是兒子欲毒死繼父，卻不小心誤將母親毒死，然後女兒又挺身出來代替父親入獄受刑，劇中女性俱無辜代替男性受罪，成爲了父系體制中被犧牲的對象。

中國宗教本無「原罪」觀念，但對女性而言，「血湖之罪」卻是一與生俱來不可避免的罪愆。「血湖之罪」指女性因爲生產時所流血水汙穢三光，死後必須打入地獄的血湖中受苦，以洗清罪孽。劇中一段敘述婦人之苦的的長篇七言詞[21]，以「人身莫作婦人身，做個婦人多苦辛」開頭，歷歷唱出婦女所必需經歷的三大苦楚：第一是生育子女之苦，第二是養育子女之苦，第三則是死後必須下地獄受血湖之苦。特別的是，上述三大苦都是爲了生育後代、延續家族香火所致，這無疑暗示出婦女在父系體制中只能屈居男性的陪襯地位，飽受無法解脫之苦。莆仙戲《目連救母》〈一殿審解〉中羅卜問獄官「血湖內許多婦女痛苦萬狀，男子亦受此報否？」，獄官回答：

> 不干丈夫之事，乃因婦人生產之時，血水汙穢地神，又將沾污衣裳，向溪河洗滌，致使善男信女不知，誤取水煎茶供奉諸聖。命終之時，該受此苦報。

血湖之罪對必需發揮生育功能，以維持家族延續的婦人而言，乃在所難免。故在這重與生俱來的罪愆陰影下，婦人須戰戰兢兢地努力修爲，以尋求解脫之道。羅卜並勸誡血湖內婦人：

> 汝等罪人，因汝在生不修，以致如此，我今解救汝等，可聽吾言，凡婦人行事，可孝於翁姑，順於丈夫、待妯娌和氣，視奴僕如己，專心向善，否則萬劫難回。……我今救

> 脱血湖苦,再三叮嚀説原因。可孝翁姑敬夫主、夫主。再
> 失人身苦更深。

「孝於翁姑,順於丈夫,待妯娌和氣」,都是界定婦女在父系體制中所應扮演的角色,強調必得「孝翁姑,敬夫主」,忍讓順從,來世纔可豁免此罪,不再爲女人之身。

正因劉氏的罪乃身爲女性的「原罪」,違背的是以男性爲中心的道德體系,所以可由正反兩面觀之: 從正面來看,許多學者將劉氏視爲反抗父權,顚覆封建意識的象徵[22],故有些劇本從正面的角度處理這個人物,譬如中江縣李菁林本《目連救母》(杜建華1993:187-201)或豫劇《目連救母》,劉氏或是無辜遭人陷害,或是蓄意向不合理的佛戒挑戰抗爭;但若是從反面來看,劉氏違背的是社會中以男性爲中心的價值體系,故傳統劇本把她刻劃成一個跋扈、囂張、縱慾自私而違夫背子的女性。然而,無論從哪一個角度衡量,劉氏卻都逃不過遭受陰司制裁的命運,即使向閻王抗爭也歸於無效,顯見在父系道德體制壓抑下女性反抗的無力。

但上面所述似乎形成一種循環的矛盾情況:婦女因爲延續父系體制的生育功能而導致「血湖之罪」,但是,解脫之道卻非推翻這重生理功能,反倒是如同上面所説的「孝翁姑,敬夫主」,更加去順服父系體制。這彷彿形成了一個兩難的局面:一方面爲延續父系的家族香火,使得女性獲「血湖之罪」;但另一方面女性若要贖此罪,卻是更加臣服於父系體制。在此種認可體制的前提下,女性不可能擺脫生育功能,所以也就沒有自我救贖的可能性;至於「孝翁姑,敬夫主」等修行,只能幫助婦女來世不再投胎爲女人身,對於此世的苦難卻是無能幫助。因此,要解除此世

的血湖之苦，必須透過男性，也就是透過子嗣的超度行爲來拯救。劇中劉氏再三叮嚀羅卜一定要超度她(〈劉氏回煞〉)，甚至如豫劇《目連救母》中劉氏根本無罪，卻仍然被閻王打入地獄血湖，直到「目連行大孝」救母才獲得釋放，這都說明無論如何，婦女都必須透過兒子的超度拯救，方才有脫離地獄超升入天的可能。四川瀘州師道戲〈朝橋拜塔〉與〈血湖報恩〉二折，將白蛇傳許夢蛟救母的故事與目連救母故事一併演出(杜建華1993：246)，二者均指出女性「原罪」須透過子嗣來贖救解脫的觀念。尤其喪葬中的目連戲更是旨在演出子嗣超度亡魂的儀式，「打血盆齋」時唸《血河經》道：

> 仰叩佛恩，哀求超度：亡者生前之日，在家從父，出嫁從
>
> 夫，生男育女，污地薰天，未免生產之期，必積血湖之苦。

重申婦女「三從」之德，然後藉著孝眷飲血酒，象徵喝乾血湖之水，來代替母親解除穢血污地薰天的罪過，以救助母親脫離地獄苦難（胡天成1993，王天麟1994）。[23]

　　《梁傳》中梁武帝救妻的行爲和目連救母可說極爲類似，二者經常相提並論。劉氏以爲「梁武帝既能度其妻，吾兒必能度其母」(〈遣子經商〉)，而女性罪愆必須透過男性出面救贖，等於再度點出女性在父系體制中的次要地位。這種觀念也因四川儺壇目連戲《梅花姊妹》的對照而更加凸顯，《梅花姊妹》一齣敘述劉氏女兒梅花姊妹，在羅卜出家之後被姨媽收養，卻遭到虐待，所以雙雙到母親墳上哭訴，然後入地獄與劉氏相見的經過。雖然與羅卜同樣是進入地獄見母，但梅花姊妹卻無能拯救母親，而且還因爲劉氏作惡，反而被閻羅王一併打入陰山下無辜受罪（杜建華1993：243-245，王躍1990），這與目連入獄救母的形式恰好成爲

一強烈反比。此二者雖然類似，但卻有如此截然相反的安排處理，不得不令人深思背後所隱藏的意義：目連和梅花姊妹唯一的差異就是性別，不啻顯示出男性子嗣方能救贖母親。所以目連戲演出期間，婦女多向戲班討蘿蔔以求得子，不僅期望能夠藉此來延續家族的香火，同時也是期望自己的子嗣能夠如目連般盡孝救母。〈見佛團圓〉一折強調的「孝莫大於救母」，便指出「超度」與「救贖」才是兒子回報母親生育之恩的最佳方式。

父系社會中女性居於次要的的地位，同時也因父子倫注重父子關係而非夫妻關係，所以性的特徵往往被壓抑，並且強調兩性之間的隔離（estrangement）（Hsu1975：240-241,281，李亦園1978：243）。《梁傳》中梁武帝妻子郗后因為忌妒而害死苗宮人，遂被閻王罰變成巨蟒；〈下山〉中不守清規的和尚尼姑，暴露對性的慾望渴求，則被打入地獄，罰變畜生，「性」的強調或是忌妒都成為罪不可赦的行為。[24]上杭提線木偶戲「目連歎苦詞」（陳翹1991：135-136）云：

> 奉勸君子姊妹們，婦女罪惡海般深，搽油抹粉都是罪，生男育女罪不輕。

以為婦女裝扮容色的「搽油抹粉」是一項重大罪惡。因此觀音以色慾的方式去試煉羅卜、強盜、和雷有聲等人向善修道的誠意；或是羅卜為了拯救母親而拒絕婚約，都可見在眾多慾念之中，特別將「性」慾的泯除標舉出來，以為是一條修煉道德的入聖途徑。清同治十二年十月東至縣關於目連戲之七大社聯云：

> 善非關吃素，想古來許多忠臣孝子、義士仁人，雖飲酒茹葷，大都信實真誠，自覺芳流百代。
>
> 惡豈在開齋，慨世間多少潑婦嬌妻、淫姬妒女，縱看經念

佛，無奈心偏殘忍，已知穢播千秋。

（引自茆耕如1993：133）

將「忠臣孝子、義士仁人」相對於「潑婦悍妻、淫姬妒女」，正是將合乎儒家道德的男性視為典範；而違抗夫主、暴露性的慾望和渴求的女性則視為罪不可恕，顯然存有以性別作為預設價值標準的偏見。是故，道德其實與佛教的戒律以及茹素的行為無關，唯有這套以父子倫為中心所架構起來的道德體系，才是判斷是非善惡的依據。至於女性只能屈居陪襯的地位，並在「原罪」的陰影之下，順服遵從男性的道德價值標準，沒有獨立自救的自主能力。

第三節　權威性格的形成

一、講究下對上的服從與義務

權威（authority）是構成父子倫制度的中心，父親對於兒子的權威，以及兒子對於父親的孝順構成了一個緊密的父子結（father-son tie)(Hsu 1975：281)，故孝順乃指絕對地恭順與服從，所謂「千孝不如一順」(安徽郎溪《目連戲》〈經營遺子〉)，正是從在下位者的角度，反襯出在上位者的極度威權。目連戲中傅相出現的場景雖然不多，但卻處處都可以見到他的威權，正如同上節所述，羅卜劉氏都謹遵著傅相的遺訓持齋修善，郎溪《目連戲》〈囑別〉一折中傅相甚至還提筆寫下遺囑，要羅卜和劉氏發誓遵守，並對羅卜云「我把念頭交付了你」，表示父子傳承之意。而羅卜亦以為「爹囑咐，為人子算敢差移」（莆仙戲《目連

救母》〈花園祈禱〉），故個人修善的目的遂變成在竭盡孝道，以遵從父祖的遺志。〈曹氏到庵〉一折曹氏欲出家為尼，住持以「常言作事須謀始，論親在，義無專制」為由，認為必須經過曹父的同意，也表示長輩具有絕對威權去指導子女行事，晚輩則必須順從忍耐，不可擅自任行，以一己的私意違抗之。〈一殿尋母〉中地獄秦廣王道：

> 論人身，生長乾坤內，父母恩，天地齊。養孩兒，費盡心和力，成當報爹娘德，敢逞兇頑與抗持，真是滔天罪。……婆婆即是娘，公公即是爹，女兒媳婦原無異，飢寒當進衣和食，打罵修生怨與嗟，他止望伊成器。

爹娘打罵，必得無怨承受下來，所以膽敢「逞兇頑」而反去打罵爹娘的不孝子趙甲、以及打婆罵公的錢乙秀（或作錢一秀），或是泉州打城戲《目連救母》〈許豹打父〉中毆打父親的許豹（詹曉窗1990：160），都被打入地獄或被雷轟死，遭受嚴刑懲處。

這種以父子倫為重心所形成的權威性格，同時也擴展到其他人際關係之上（李亦園1978：242-243），成為中國傳統人格的特性之一（金耀基1993：86），舉凡「忠」、「孝」、「節」、「義」等人倫道德俱仿照父子倫的階級區分，來界定下對上者的臣服與順從。父子倫是先天的、不可改易的血緣關係，但一旦拓展到後天可改易的君臣或是夫妻倫的關係時，威權性格便使得上下關係絕對穩定化，在下位者的「變節改適」便成為一項喪失廉恥、罪大惡極的行為。〈曹氏剪髮〉中云：

> 吾心節義，須臾不可離。惟其有節義之心，忠臣不事二君，烈女不嫁二夫。歎庸臣惡婦自把心欺，自將慾蔽，自使行多乖戾。為臣的賣國欺君，甘心降賊；為妻的失節忘

夫，甘心再適。眞是無羞恥，這便是禽類與蠻夷。

將「節」與「忠」相提並論，以爲變節改適者與禽獸無異，夫妻倫和君臣倫也就一併變成天生且不可移易的絕對關係。

所以劇中一再強調的「忠」，是指臣下矢志報效君主，死而無怨，例如比干、姜太公、秦瓊、楊家將、韓信、伍子胥、關羽、岳飛等等[25]，這一干爲國犧牲的忠臣勇將受到大力贊揚。至於項羽「不願把臣爲」等則是叛賊(豫劇《目連救母》〈劉賈逃棚〉)，而《梁傳》關於侯景反叛的情節，不是以梁武帝和侯景前世恩怨的因果報應處理之[26]；就是以侯景逼死採桑女，被武帝懲罰，故起而作亂(川劇《目連傳》江湖本演唱條綱《灌湖城》)，都把臣子的叛變意識減到最低的程度。〈男打掃〉一折益利憂心劉氏開葷，劉氏卻痛斥益利要他明白主僕的分別，不可僭越，而羅卜也責怪益利多事，可見主上的絕對威權不容許絲毫的侵犯。所以五倫所建構起來的道德，其實正是一種屬於血緣群體(community of blood)的、不容改變的恭順的道德(韋伯1989：303-304)。

Hamilton討論中國孝道時，以爲與西方父權最大的不同點就在於：西方父權強調的是上對下的權力，而中國孝道強調的則是下對上的恭順服從，所以中西雙方的思想雖然都是面對個人以及社會之間角色的折衷，但是進路卻不同，中國講究的是責任，而非權力(Hamilton 1992：225-226)。所謂孝道是下對上者竭盡心力的完全順從，以及反饋回報父母的片面責任，至於在上位者的態度如何則不論。譬如劉氏爲了滿足一己私慾，便將兒子羅卜遣離家門；《香山》中莊王甚至還將女兒妙善絞死，這些磨滅骨肉親情的專制舉動，卻都不會影響到子女實踐孝道的心與力。湘劇《目連記》〈掛燈〉云：「人生俯仰間，君父恩何極，臣子報君

親，當盡忠和力」，以爲忠、孝的實踐就在於克盡心力去回報君親的恩情，然而君主或父母則僅憑其名分地位，即有特權接受臣子或子女的尊敬與服侍，這種盡「忠」盡「孝」的報償觀念無疑受到道德分殊主義的身份取向所主導（楊聯陞1976：370-371），當具備某種身份時，即享有某種特定權利或須盡特定義務。

　　盡孝的回報方式尤其注重「養老送終」一事，故云「養兒待老，積穀防饑」（〈請醫救母〉），〈齋僧濟貧〉中孝子亦道：

　　　　葬之事不行，祭之禮不成，報不得慈母恩，進不得人子情，吾乃是天地間一個大罪人。

安徽郎溪《目連戲》〈賣身〉一折中孝婦云：

　　　　我今奉勸世人，有兒子不要歡喜，無兒又不要煩惱。有道是，穿破綾羅才是衣，白頭分手是夫妻，麻衣放到方爲子，送老歸山才是兒。

可見「養老送終」事之重大，所以孝子賣身葬母，孝媳賣身葬婆，犧牲自己的生命去完成孝道亦在所不惜。甚至出家也是「養老送終」的盡孝行爲，目連和曹氏都藉由出家來超度母親的亡魂，並期望能夠「修得好處，亡母亡父亡兄都可以超脫」（《超輪本目連》〈剪髮〉），以克盡「送終」的孝道。

　　不論賣身或出家，都是完全犧牲自己、奉獻自己以餽報雙親，如此一來，自我生命的目的似乎只在回報上位者的恩典，反而喪失了獨立存在的價值。目連戲中屢次宣揚克盡人倫的重要性要遠超過自我的生命，如〈博施濟衆〉中孝婦在婆婆死後便自縊，認爲自己已經沒有活下去的意義。楊國樞(1988)亦指出：中國傳統悲劇英雄在體察價值的困境時，大多是陷在人倫關係的網絡之中，因爲君父的錯誤，英雄便無私地承擔起長者的罪過，以犧牲

一己生命的方式來完成人倫義務。〈五殿尋母〉或《蜜蜂頭》中的孝子（或鄭膚夫）遭到繼母誣言陷害，遂被父親賜死；孝媳因爲婆婆失節，所以自縊身死以求保清白；《香山》中莊王因燒死五百冤魂，被閻王罰身生菠蘿瘡，女兒妙善遂施捨手眼以拯救父親；《攀丹桂》中桂香代替父親受刑而死；或是莆仙戲《目連救母》〈僧道勸解〉一折中銀奴勸諫劉氏不聽，遂自殺而死；〈過奈何橋〉一折因爲諫主而被賜死的忠臣；或如《封神》中的比干、《精忠》或《東窗》中的岳飛，無非都是藉著許許多多的悲劇主角，來描寫同樣面臨身陷道德困境中的兩難情況，而眞理既被蒙蔽，只有選擇犧牲一己的方式來贖抵在上位者的錯失罪過。〈請醫救母〉中目連云：

> 願以身代母災危，望天垂應。……伏乞容身代母病可興。
> ……可憐見七孔血淋漓，多因是我不孝相連累。

目連將一切過失攬在自己身上，願意犧牲自己來代替母親受罪。而主僕之間的「義」也是如此，當遇山寨強盜時，益利願意代替羅卜受押，以爲「僕替主理之所應」（莆仙戲《目連救母》〈點化金剛〉），「捨身回報」便成爲所有道德倫理的終極實踐。

　　由於服從權威,籠罩在祖先陰影之下(under the ancestors' shadow）便成爲父子倫的一大特色（Hsu 1975：261），這使得中國個人主義不彰，偏於尊重傳統的崇古取向(金耀基1993：168)。是以中國人傳統認同的對象有二：一是歷史上的豪傑聖賢，另一則是家族中的祖先(楊懋春1992：158)，但歷史人物卻都是類似理想典型人格的重複再現，也就是著重在定型的模擬(韋政通1992：28），而戲劇的取材也是如此，始終跳不出歷史故事的範圍，很少專爲戲劇憑空結撰，獨運機構者。當戲劇演員戴上臉譜之時，

其實就等於是道德教條的化身，以「忠臣」、「孝子」等作為模擬目標（許倬雲1977）。王嵩山、江宜樺〈台灣民間戲曲的形式與意義——兼論傳統的轉型與現代發展〉一文指出：

> 傳統民間戲曲的演出在社會生活中多少扮演教育的一些功能，傳承的是與整個社會生存發展有關的「史的認識」；在這個史的意識中存在的是創造歷史的人物、歷史形成的過程、以及各種鮮明的各類生命的情態。在戲曲演出一遍又一遍的強化，個體不但領略生命的各類情態，重新思考並內化文化限制下的各種規範，或寄託生命個體的一些理想。傳統中國社會結構的特色：典型的父系（Patrilateral）、隨父居（Patrilocal）與父權（Patriarchal）的強調，與官僚體制的運作狀態、農業的經濟結構三者的互動，形成中國或台灣民間戲曲劇目內容所採擷與強調的部分。（王嵩山、江宜樺1984：106-107）

傳統戲曲正是藉由搬演歷史故事，一遍又一遍地強化父系社會體制下的道德倫理價值規範，而達到「教化」的功能。雖然目連原本是佛教經籍的人物，但戲曲中卻把他的祖先與梁武帝的歷史銜接起來，將他視為歷史人物的典型之一來看待，而戲中繁多的故事與情節，事實上都是忠、孝、節、義等道德模範的一再重複宣揚。在與大傳統知識分子力求盡心以知天的情形相較之下，小傳統「儒教中國」的庶民道德顯然更傾向於順從權威和傳統，遂不免流為僵固的形式化信條，要求人按部就班地行為(鄭志明1988a：193)，道德的內涵卻被架空，只餘軀殼骨幹。這也是本文研究模型中道德子系統在由大傳統進入小傳統之後，便逐漸萎縮呈現倒三角形趨勢的主要原因。

二、容忍與和諧

在上節所述差序格局的倫理道德之下，錢穆曾指出中國人性格的特點在重視和合，行為上重視「集體主義」而非「個人主義」，思想上為繼承傳統而非創新(錢穆1979)；Talcott Parsons則以為「集體主義」是構成中國傳統價值的基礎，行為上把忠實當作順從，不忠實視為偏差(文崇一1992：53)。在這種「集體」重於「個人」的情況下，韋伯以為相對於清教徒「理性地支配這個世界」，儒教乃是要「理性地去適應這個世界」，中國傳統禮教就是在教導民眾一套「自我抑制的規則」(韋伯1989：315，189)，以期能將個人契合在宇宙及社會的秩序之中，並壓抑一切可能擾亂均衡與和諧的情感(楊慶堃1989：47-49)。因此，張德勝(1989)以為儒家倫理雖千頭萬緒，但歸根究底，卻不外乎是從一個害怕任何動亂改變的「秩序情結」中衍生出來。所謂「集體主義」其實就相當於是一種「和諧主義」(楊中芳1994)，為了保證秩序的和諧，個人必需放棄自我，與社會集體妥協。然而，過分強調秩序的結果，卻造成個人沒入人倫秩序之中，只一味著重對上者片面的、無條件的服從與忍讓(中村元1991：125-128，韋伯1989：222)，所以形成的倫理秩序已非孔子原初精神上所企求的秩序（金耀基1989：9），而是在「儒教中國」層次之中一庸俗化的儒家而已（鄭志明1988）。

追求人倫秩序的和諧確實是目連戲中非常重要的一點，劇中許多勸世文或警語大多不離倡導「和」的境界，〈博施濟眾〉一折中啞子瘋婦唱「孝順歌」云：

> 我勸人家兄弟聽，連枝同氣共胞生。弟敬兄如敬父母，兄愛弟如愛子孫，兄弟相和家自旺，莫因些小便相爭。兄和

> 弟聽也麼聽，那鴻雁尚有兄弟情。我勸人家夫婦聽，夫妻
> 匹配事非輕。七世修來纔共枕，百年和順莫相嗔。妻敬夫
> 時夫愛婦，一夜夫妻百夜恩。夫和婦聽也麼聽，那鴛鴦到
> 老不離分。

兄與弟、夫與婦須以互敬互愛爲重，不輕易斷絕人倫關係，如此方能維繫住整個家族的秩序。〈壽母勸善〉中「一家安樂值錢多，萬兩黃金未足誇」或〈傅相囑子〉中「一家安樂值錢多」、「夫妻結髮兩和諧」等類似警句一再出現，無非都在說明人際間的和諧安樂才是最可貴的事物，故戲中目連一家人在天庭重逢；《梁傳》梁武帝亡後也歸天與郗氏重逢；而《化金簪》(或《斬龍台》)之中，劉全之妻上吊冤死，劇末亦借屍還陽與劉全再度完婚結偶，都盡量重整破碎的人倫關係。不僅勾劃出一圓滿和諧的家庭意象，而且家人彼此之間的誤會或罪愆也獲得洗滌，不致因爲一時的意氣紛爭就破壞了家族倫理的維繫。

　　和諧秩序的達成，尙須彼此間互相容忍與謙讓，因而「奉勸世人，相愛莫相爭」(莆仙戲《目連救母》〈修整齋房〉)，「得饒人處且饒人」(〈花園燒香〉)。在〈匠人爭席〉一折之中，匠人們爭奪尊卑先後的次序，互不相讓，羅卜出面勸解他們道：

> 物有天然序，人以和爲貴……做人要忍氣，安分守己，爲
> 善最樂、最樂，古人話致，饒人一步、一步未爲痴。

勸導世人謙退禮讓，不要妄生貪婪爭奪之心。《超輪本目連》〈還陽〉一折中云「媽媽娘子家，公婆罵，半世熬，丈夫打，結髮妻，鄉里切莫兩相爭，莫爲些小事，變把火性行，吊死高梁上」，更是特別勸戒婦女在以男性爲價值中心的社會裡(見第二節)，必須學會安份忍耐，莫要任性恣肆、爭強賭氣。湘劇《目蓮記》（罵

雞）亦「奉勸鄰里要相親，莫爲些小事便相爭，得放手來且放手，可饒人處且饒人」，莆仙戲《目連救母》〈劉假變驢〉中勸善歌云：

> 我勸世人休逞強，兩強相遇、相遇必有一傷，強人自有強
> 人敵，犯著氣字便有兇。勸君子須謙讓，切勿逞強，呀咳，
> 切勿逞強！

在追求家庭、社會和諧秩序的前提下，容忍、謙讓、不逞強的克己功夫便成爲十分重要的道德涵養。

　　然而，過度忍讓到了片面、無條件的服從，卻造成姑息罪惡的消極態度。譬如〈化強從善〉一折中，山寨強盜入庵搶劫，傅相以「豈可因財傷人」爲理由，便將白銀放在桌上任由盜賊拿取，一家人則逃往後山避難，而不報請官府捉拿。莆仙戲《目連救母》〈劉假索詐〉中，劉假誣陷羅卜害死母親，威脅羅卜要分一半家財，羅卜便給他以息事寧人，這些態度無非透露出中國國民性格中「保守」、「順從」、「忍耐」，以及「安分」等特徵，故集團主義的道德模式反而造成個人行爲的壓力與束縛（文崇一1992：75，66）。事事謙退、忍讓的消極心態也使得現實世界無力並且也無膽去懲罰惡人，遂只好退而寄望超現實的因果報應，能夠代人伸張正義與公理。莆仙戲《目連救母》〈討銀俥店〉之中，李仰獻遭受劉假欺壓，卻只能在劉假背後謾罵出氣，道：

> 受伊迫勒、迫勒，無可奈何。天眼恢恢，望將現報、現報，
> 想伊後去變驢變馬。但將冷眼觀螃蟹，看伊橫行到幾時。

在「無可奈何」之下，唯一可作的就是消極地冷眼旁觀，寄望善惡報應的顯現；而羅卜遭受劉假恐嚇勒索之後，也只能哭泣自己的委曲唯有天知曉。於是唯有宗教因果報應的超現實力量，才能

夠達成勸善止惡的功效（詳見第四節）。

這種忍讓妥協的人生觀，缺乏改革的積極精神，任何擾亂均衡、破壞和諧的行爲都被視作重大罪惡。〈社令插旗〉一折中雷公電母打死挑撥教唆是非、「一張口利如刀」的長舌婦人，〈七殿見佛〉中將「生前利口便便，搬唇鬥舌多言」的婦人罰割舌之刑，俱把挑撥是非、教唆鬥嘴這種破壞和諧秩序的行爲視作罪不可恕。〈花園捉魂〉一折中云：

> 閒言誤聽，君聽臣當誅，父聽子當訣，夫妻聽之疏，朋友聽之別。

《超輪本目連》〈花園〉則云：

> 閒言切莫聽，聽之禍也生，三寸舌，舌尚有龍尾，殺人不見血。

認爲搬弄閒言不只破懷人倫秩序的綱常，還相當於殺人的罪孽。所以〈花園捉魂〉中益利勸諫劉氏，卻反倒被劉氏與羅卜責怪爲多事挑撥，搬弄閒言，就是因爲益利逾越了自己的「本分」，而破壞了主僕間所應維持的尊卑秩序。故在集體人倫秩序重於一切的情況之下，惡行就是利己的功利主義作祟的結果(鄭志明1988)，個人「須徇道理，各宜本分營生」，而不可以「損人利己」(湘劇《目蓮記》〈貳殿〉)。所謂的「徇道理」正是認清自己「差序格局」中的角色定位，不逾越份際，並遵從長上和傳統的威權，容忍謙讓以維繫住集體秩序的和諧與穩定。

三、富貴與命運的衝突

然而目連戲中並非一味宣揚消極、服從、保守的道德觀，亦有積極的一面。許烺光以爲父子倫爲核心的社會文化中有兩大重

要因素：一是權威，一則是競爭(competition)(Hsu 1975：262)。「權威」是消極的服從，強調上下階級間的關係，在前文已經作過討論，故不再贅述；然而因爲「權威」之故，沒有平等，所以父子相承制遂造成了同性、同輩的階級因爲「權威」而激烈「競爭」的情況出現(ibid：246)，「競爭」便代表一種積極進取的人生態度。由於儒教純粹是一般人入世(innerworldly)的道德儒理，它和基督教派形成尖銳對比的特點就在：儒教不以爲財富是一個首要的誘惑之源，甚至實際上財富還被看作是一足以提升道德的手段(韋伯1989：217，212)，故「競爭」就是指在現實社會官僚體制的制約之下，階級中受俸祿者以及世人獵取功名祿位的競爭，至於其他所有的追求則都被抑止（同上引：216）。目連戲中羅卜出外經商賺錢以添布施，以及善人造橋鋪路、金裝佛像等等的施捨行爲，都顯示出必需在擁有財富的前提之下，方才有行善積德的可能性，故有所謂「禮義生於富貴，盜賊出於貧窮」（郎溪《目連戲》〈白馬馱金〉）的說法，正與孔子「富而教之」的思想有著異曲同工之妙。〈劉氏飲宴〉一折中，乞丐唱蓮花落曲，數說天地、父母、兄弟、夫婦等等十種不親之後，末了云：

> 十不親來果不是親，我今說與世人聽，世間若要人情好，唯有錢財卻是親。……可見錢如親骨肉，可見錢是性命根。若是有錢便有勢，不應親者強來親，不信但看筵中酒，盃盃相勸有錢人。

甚至把錢財當作建立親情的必要條件，重視錢財的程度可見一般，與佛教出世的理念大相逕庭。故〈招財買貨〉中寒山、拾得兩位唐代的佛教詩人，到了目連戲裡也搖身一變，成爲了招財利市的財神爺；〈目連掛燈〉中老僧宣讀科文，祈禱佛光普照「人間白

髮親，多富多壽多男子」，「天下讀書人，心地融通文理順，管教一舉便成名」，「天下攢錢人，一錢爲本萬錢利，廣買田園與子孫」；以及〈過寒冰池〉中觀音普降甘霖，云：「孤獨沾之子孫生，貧窮沾之富貴生，富貴沾之福壽增」，都把子孫、富貴、福壽、功名視作是人生的理想目標，具有強烈的入世傾向。

追求功名財富，並非就是漫無節制地沈溺在榮華富貴的物慾之中。〈招財買貨〉一折特別指出：

> 那成家子把你(銀子)作性命看，那敗家子把你作糞土觀。
> 視你如糞土者，暴珍天物，不可也。視你如性命者，尚當
> 裁之以義，焉可也。……他（羅卜）能仗義施財也，陰德
> 瀰漫宇宙間。……他能重義輕財也，天向陰中百倍還。

錢財雖然重要，不可輕蔑，但卻須「裁之以義」，而此處的「義」就是指「仗義施財」。然而如此一來，錢財必需布施出去以行「義」，那個人追求功名利祿的動機又何在呢？這種「重義輕財」的觀念，似乎是違反了中國人孳孳營利的現實功利性格。但我們若更加進一步去探討的話，卻發現這種矛盾其實是不存在的：事實上，中國人積「陰德」的「布施」行爲不僅不會違背功利性格，反倒更加強化之。因爲「布施」正是以功利的角度爲出發點，認爲施捨將會獲得更多的回報，也就是如同引文中所說的「天向陰中百倍還」，所以羅卜行善施金，上天加倍還他金銀（〈招財買貨〉）；傅相施捨金銀給山寨強盜，強盜不僅將金銀如數奉還，傅相甚至還因化賊向善有功，而加倍得到官府的封賞（〈化強從善〉）。〈目連掛燈〉的「台前好善人，出一分時賺一萬」一語，可說正是這種現實功利心態的最佳寫照。

誠如第一段中所指，「競爭」是父子倫社會文化的一大特徵，

然而在「權威」之下，「競爭」變成是在祖先和傳統權威預先嚴格限制好的軌道和框架中競賽（Hsu 1975：283），故「競爭」的結果是向現實社會妥協的成分居多，而非開立出一自由創造的精神，也就是形成如韋伯所說「去適應這個世界」的儒家成就模式，「富貴榮華」這一觀念就是此種成就模式下的典型產物。傳統中國人的成就觀念架構在階級制度，也相當於是官僚體制之上[27]，若爬升得越高，成就也就越大（文崇一1992：60-65），而在目連戲中，這一依附於現世官僚體制之上的價值標準尤其明顯。莆仙戲《目連救母》〈掛榜布施〉一折中將人分做上中下三品，云：

> 上品人，大比年頭，往赴科場，一舉名登金榜上，受皇恩，食官祿，做官作宰相。攏是伊人前世修行燒好香，算起來攏是、攏是天生地養。
>
> 中品人，金共銀也有滿籠箱，身穿綾羅錦衣好衣裳，嘴食好魚好肉共肥羊，攏是伊人前世修行燒好香，算來攏是、攏是天生地養。
>
> 下品之人受窮衰，眞個無大量，打辦一似乞丐模樣，爺爺奶奶沿街叫，攏是伊人前世無燒好香，算來攏是、攏是天生地養。

做官做宰相，在官僚體制中占據高位的就是上等人；而那些萬貫家財，卻無法進入官僚體制獲得功名者，只能算是次一級的中等之人；至於既無功名、又無錢財者，則屬下等之流。這一區分人貴賤等級的標準，甚至還隱含著善惡褒貶的評價在其中：認爲上等人必是積善積德，才能享有如此福報。依此看來，道德價值體系與社會官僚體系已經是結合爲一，混容不分了，而且此二者結合演化的趨勢是把道德當作手段，變成追求名利的工具（文崇一

1994：252-267）。《超輪本目連》中以上（將相公侯）、中（財主）、下（乞丐）三等人來實際說明為善最樂；地獄也以金山、銀山，或金河、銀河等錢財的具體意象，來標示道德程度的高低，都把道德視作是一條通往富貴榮華之路，更加凸顯出中國人現實功利的心態。

如前所述集體秩序的和諧先於個人利益，所以追求財富之時，個人仍然必需僅守份際，不得隨意貪多妄求，〈社令插旗〉中云：

> 赫赫天威，堪歎時人總不知，脫騙為生計，造假貪財利，謾自愛便宜。天眼低，前日你求財恨不多，今日你財多害身己。

勸戒人不可貪得，妄行不正當的拐騙，所以〈二殿尋母〉〈五殿尋母〉〈七殿見佛〉中殺人奪財、謀財害命的強盜以及大斗入小斗出、為富不仁的財主，都被打入地獄，受到嚴刑懲處。〈雷公電母〉中雷打十大惡行，其中即有「牙行不公」、「欺心賊骨」、「偷盜成風」、「大秤小斗」以及「用鐵用銅」假造私銀者，警戒世人不可藉由欺盜的方式，去奪取非分之財。辰河高腔花目連第五本《龐員外埋金》，更是一個不取分外之財的特殊例子：劇中龐員外贈金給僕人，僕人卻被酒、色、財、氣四鬼糾纏，因此以為自己無福消受，便退回給員外，而龐員外也懷疑自己無命消受，遂將金銀埋在深山之中；樵夫張三李四盜掘金銀，各起獨占之念，張三被李四用鋤頭擊死，李四食張三拌有毒藥的米飯而亡，另有一鳥啄食所剩飯粒斃命；最後龐員外只好將金銀拋入海中，為財神所收（李懷蓀1989：40，茆耕如1993：316）。劇中不管是人或者是鳥，俱因貪念而亡，但重要的是，此處「無福消受」正點出了「謹守本份」的觀念。在社會階級體制的約束之下，個人有其

應受的「福份」，不應存有一絲踰矩的非份貪婪之想，例如劇中的僕人即使有了錢財，卻無奈與自己的身份不配，也就無福享受。

　　因此，富貴的追求「競爭」顯然必需在社會許可的體制內進行(socially approved framework)，如果逸出預先架設好的 軌道(established path)之外者，則算是失敗（Hsu 1975：265），這對現行體制的強烈認同，有助於中國社會千年來恆常不變的穩定狀態。[28]金觀濤、劉青峰將這種社會形態稱之爲「超穩定結構」，並且分析其中意識形態的結構，以爲：儒家社會以宗法家庭爲基礎而建立了一個等級社會，並與現實中的官僚體制互相吻合，完成了所謂宗法一體化的封建結構。至於道家（或道教）、佛教則是附屬的一個補結構，當現實中儒家入世的思想遇到挑戰時，補結構就發揮了作用，以相反的消極出世態度來取消現實中的困境，而獲得心理上的平衡與滿足。由於這種補結構的存在，遂杜絕了擺脫正統意識形態結構的創造性嘗試，中國大一統國家機器因之得到良好的調節與潤滑，而造成了特有的巨大保守性格（金觀濤、劉青峰1994：353-408）。

　　是以目連戲在透露追求富貴榮華的功利傾向之餘，仍然不乏遷就現實的「安貧立命」淡泊思想，乍看之下令人頗覺突兀，譬如〈元旦上壽〉所說「雲山俱是樂，寵辱不須驚」、「富貴浮雲成何事，浪得虛名在世傳」，或〈齋僧齋道〉中「堪嗟塵世昏迷者，空爲兒孫作馬牛」，皆是以爲人生若夢，無須去計較功名。莆仙戲《目連救母》〈老僧點化〉云：

> 平生樂善守清閒，簞食瓢飲過三餐。爭名共奪利，似浮雲聚散。人說苦海無邊，回頭是岸……堪歎名利如浮梗，無常一到總屬他人。

《超輪本目連》〈觀音勸善〉中「觀四景」也大歎人生總是空，不必掛心名利。雖然出現許多「富貴浮雲」之類的感歎，但並非代表中國人就真的傾向消極避世的人生觀。這正如同中村元所指：佛教其實無能改變中國人利己的現實性格，所以「佛教與中國人固有的隱逸思想相妥協，以適合於此一思惟傾向的方法來做佛教的受容宏佈」(中村元1991：118-119)。因此，我們在討論庶民倫理道德之時，不僅要考慮儒家的先驗道德體系如何在漢民族心中運作，亦應考慮道、佛二家的存在與超越的理解體系，如何與儒家的體系互動(王嵩山1988：182)。追求功名富貴當然是中國人入世性格的基本表現，也為儒家所認可支持，然而功名富貴的追求一旦與現實命運起了衝突時，作為一宗法結構之補結構的道、佛二家就會浮起，以淡泊出世的人生觀給予人們心靈的安慰與寄託。是故中國儒生多有雙重性格，得志時是儒家，兼濟天下；不得志時才是道家，歸隱山林(金觀濤、劉青峰1994：388)，這種儒、道、佛之間的互相補充互相支持，遂使中國的社會體制進入了穩定的狀態中。

第四節　宗教與道德之間的關係

一、宗教為推行道德的工具

　　楊慶堃(Yang 1961)將中國民間宗教定義為一種「混合宗教」(diffused religion)(見第二章第一節)，並分析這種「混合宗教」與道德的關係，認為：這種宗教模式缺乏自己獨立的道德體系，它主要的功能在為儒家的道德價值提供一個賞罰的工具(a means of both encouragement and deterrence），故道德是儒家的產物，而宗教則是一個推動道德的力量(promotion of moral virtues)以及實行制裁的媒介(agent)。在許多文化之中，宗教的支配影響力起於宗教之支配道德價值，然而中國文化的一個顯著不同之點卻在於儒家思想之支配倫理價值，宗教則是對儒家道德給予超自然的支持，這一點形成了二者之間相互支持的功能。故自古以來，中國的宗教祭祀就具有促進社會道德的世俗功能，同時也是世俗政權和儒家正統藉以馴服人民的有效工具(楊慶堃1976：331-332，342)。

宗教與道德的結合，正是中國大傳統與小傳統結合的關鍵點：藉此儒家道德得以透過宗教的支持，而從大傳統進入到小傳統之中，以「神道設教」之意，落實成為具體詳細的道德條目，而為民間身體力行實踐（呂理政1990：7）。[29]然而宗教如何給予道德支持的力量呢？宗教雖然屬於一超越凡俗的神聖事物，但是在儒家道德的支配下，中國的宗教仍然保持著一種強烈此世(this-worldly)的心靈傾向，沒有任何彼世論或者「棄絕生命」的救贖觀念，所以一直停留在巫術泛靈論(magical animism)和崇拜功能性神祇(functional deities)[30]的水平之上。舉佛教作為一明顯的例子來看，傳入中國的佛教已經不再是早期印度佛教般的救贖宗教，而變成是一施行巫術與祕法的僧侶組織(韋伯1989：209，221，230，290）。因此，中國宗教傾向於入世的實用工具性質，也就是以宗教超現實的神秘特質，去為現實中的人世服務。

因為關注的焦點擺在現實世界，缺乏對不可知的神聖境域的幻想，故印度以唯心為主的地獄罪報觀，傳入中國之後，也變成實質存在的十殿（宋光宇1983：20）。神鬼世界之中的三大部門：

西方極樂世界、地獄十殿、以及玉皇大帝，都是中國社會結構的複製品，和人間的官僚階級組織別無二致；不僅神鬼世界和活人世界相似，甚至中國神對下界凡人的態度及凡人對神的心理，都和中國歷代皇帝與其臣民間的關係有許多雷同之處(許烺光1989：301-302)，於是神明體系相當於現實社會中關係網絡的投影（呂理政1990：198），玉皇大帝爲超現實界的帝王，而天堂地獄的神祇俱爲臣屬官僚的化身。目連戲中關於鬼神的場景，即不外乎重複強調這一超現實界中的官僚體制：描述神明恭敬地接受玉帝敕封，奉旨稽查人事，而塑造出一個確實有效執行善惡果報的法庭來。例如〈三官奏事〉、〈閻羅接旨〉、〈城隍掛號〉、〈社令插旗〉、〈雷公電母〉、〈司命議事〉、〈城隍起解〉、〈過昇天門〉、以及從地獄一殿到十殿的歷歷描繪，在戲中雖然佔據的份量頗多，但是內容卻大同小異，閻羅、城隍、灶神、雷公電母等等在奉玉帝聖旨之下，都同樣屬於「功能性神祇」，成爲伸張人間正義的執法者。

　　由於道德不具強制約束的效力，故確實需要一股外來力量來激勵人們主動地「認同」，以「植入」人心(見第一節)，中國民間宗教正提供了勸善的最佳助力。這樣一個逼近現實、與人世緊密貼合的宗教世界，不僅幾乎與人間的法庭難以區分，而且也給予觀衆濃厚的眞實感，使人不得不信。所謂「舉頭三尺有神明」（莆仙戲《目連救母》〈掛榜布施〉），〈肉饅齋僧〉中劉氏以肉饅齋僧，就馬上爲神明發覺，下凡阻止；〈社令插旗〉中騙子拐騙羅卜錢財，也立刻遭雷轟斃，如此善惡果報不爽，使人不得不相信眞有陰間法庭的存在。至於那些不信報應，以爲神鬼「有誰曾看見？何須食齋念佛經。」（莆仙戲《目連救母》〈教姊開

葷〉），或否定有一超現實「彼世」存在，以為「人一死，形既朽滅，神亦飄散，剉燒臼磨無所展」（〈李公勸善〉），而不計後果，縱慾妄為者，都受到陰世懲罰。〈城隍判罪〉中云：

> 山川處處有神明，糾察人間善與惡，勸世須存三寸法，當權不用一毫偏。

神鬼無所不在，監督世人善惡，人焉可不戰戰兢兢、臨淵履冰地謹慎修為？戲中更強調陰間法庭與陽世法庭不同，「官法如爐」（〈城隍起解〉），絕對不徇私理、講人情、收受賄賂，報應一到則「無門可躲，有錢難脫」（〈公作行路〉），也暗示著陽世法庭缺乏公信力，不可倚賴，並且強調神明不受欺瞞，即使如豫劇《目連救母》中劉假陷害劉氏，欺瞞神明，但在閻王「業鏡台」(或「孽鏡台」)前一切是非善惡就會清晰顯現，無法遮掩。〈五殿尋母〉云「世間惡婦當知自裁，世間孝婦何須自猜，到業鏡台前呵，非、是、明、白。」故行善不須猜疑沒有善報，行惡則自當警醒天理昭彰，這樣一個由宗教架設出來的超現實法庭，反而成為了現實人世中道德的保證與希望寄託的所在。

二、因果報應的獎懲

善惡因果報應的說法其實由來已久（劉道超1992），楊聯陞(1976)指出，「報」乃是中國社會關係中重要的基礎，中國人在有所舉動時通常即會預期相當的還報，同樣的，這種「交互報償」的原則也支配著人與超自然之間的宗教行為。[31]如前段所述，宗教為推行道德的一件有效工具，與道德的結合點正是「善惡有報」的因果報應觀念，故人們在遵行道德的同時，自然也會期望能藉由宗教超現實的幫助而得到回饋，但這種報應觀卻將道德引

入到「功利」的途徑之上，使得道德成為一種契約式的相對關係，而失去了自律的純粹性（鄭志明1986：26）。安徽郎溪《目連戲》〈開殿〉中云：「修福還修道，善人有善報」，將修「福」與修「道」並列一起，視修養道德等於累積福份，為善之人則必定得有善報，「半點不毫差」（〈囑別〉）。道德的「善」與「福報」經由相對的因果關係而緊扣在一起，遂導致「果報」本來只是作為勸善的工具，但卻反被視作行善的目的，而變成了道德實踐的原動力。這種缺乏高層次倫理精神的「功利性格」，正是民間宗教與庶民文化最明顯的特徵（同上引：337）。

目連戲中運用「種田」來比喻「因果報應」的說法，鮮活點出宗教與道德二者之間「契約式」的功利關係：〈劉氏齋尼〉中以為修道好比是「春時下種在田丘」，若是不修就等於「不下春時種」，只能「空守荒田望有收」；湘劇《目蓮記》〈貳殿〉中亦云：「求無陰司諸愆也，須陽間種福田」，故修善就好比是種田一般，出發的動機乃是在於期待收成的回報上，如此一來，積善的行為便無異是在進行「社會投資」（social investments）（楊聯陞1976：350）。正如同前文第三節中已經指出，「布施」這一行為其實隱含著濃厚的功利傾向，以為施捨將會獲得更多的回報，故劇中劉氏當年給予一飯之惠的乞丐，雖到了地獄中化為餓鬼，但也還用轎子抬劉氏過孤淒埂，以作為回報（〈主婢相逢〉）；傅相或羅卜施捨給他人錢財，卻即刻獲得加倍錢財的回饋（見第三節）。誠如本章第二節討論「富貴」時所言，中國人的價值體系是依附於社會官僚體系的階級制度之上，所以善報尤其著重在現世的「富貴榮華」（見第三節），羅卜一家人雖然拔昇天庭，永享逍遙，但是仍然以接受玉帝的賜封為榮耀（〈盂蘭大會〉）；

〈過奈何橋〉一折中，信女則「超生人世，大則皇后嬪妃，小則
財主夫人，福壽綿綿，永享富貴」，再到人世享受居於高位的榮
華富貴；郎溪《目連戲》〈掛號〉一折則云：「存心積善，心地
好，錢財自有」。善報大則受封為侯爵者流，小者擁有財富，都
是以現實世界中的功名利祿作為實質的回饋，故善行似乎是變成
了一樁本少利多、保證利潤的買賣。

　　至於為惡者，當然難逃因果報應的制裁。目連戲中所塑造出
恍若真實的十殿地獄法庭，再三警告人「惡有惡報，切莫使心用
心」（〈公作行路〉），以達恫喝人心的功效。上卷〈閻羅接旨〉
藉由閻王之口云：

　　　　陰司獨掌令非輕，善惡昭昭報應明，善者早登天府樂，惡
　　　　者難逃地獄刑。

中卷〈閻羅接旨〉云：

　　　　人心纔起鬼先知，更有青天不可欺，善惡到頭終有報，只
　　　　是來早與來遲。

以為神明無所不知，果報昭明，不容人隨意輕蔑忽視。〈社令插
旗〉中騙子拐騙羅卜錢財，便馬上遭雷打死；〈花園捉魂〉中劉氏
欺瞞違誓，便即刻在花園休克昏死；莆仙戲《目連救母》〈劉假
索詐〉一折中，劉假向羅卜勒索銀錢，回家途中馬上遭高腳鬼打
死，均逃不過被鬼族拘拿審問的命運。但必需說明的是，「死」
雖是懲罰，但主要卻是一種使人從陽世過渡到宗教「彼世」中，
以便接受因果報應審判的一種手段。所以傅相、忠臣、孝子、節
婦等死而昇天受封，永享逍遙，反倒是一件好事；而惡人則經由
死亡，才得以接受陰間法庭的嚴刑懲處，因此死亡之後，善惡果
報方能夠真正實現，這一方面可以說明忠臣、孝子、節婦多採取

自殺方式來洗刷冤屈的原因；但另一方面，卻也透露出目連戲中以爲現實世界道德的無效以及法律的無力，所以若欲實現公理正義，只能轉而去尋求宗教所營造出的超現實世界。

　　對現實的無效無力感，雖代表中國人安於當下秩序的和諧穩定，有消極宿命的傾向（楊國樞1981：40-41），然而，許烺光卻反對中國人是一宿命論者，他以爲：中國人只在對自己有利的情況下，才會支持「命運」（fate）和「宿命」(fatalism)的說法，也就是說，只把宿命論當作一個平息現實失敗所帶來沮喪的工具(mechanism)，所以一個人即使被告知厄運，或者在生活中經歷挫折，他仍然會嘗試透過各種方式去改變這種不幸的狀態，譬如改信奉其他神明，或者是做功德善事（performing traditional good deeds）(Hsu 1975：265-266)。目連戲〈十殿尋母〉中十殿轉輪大王云：「轉移之機雖在於我，輪該之次實繫於人」；〈閻羅接旨〉亦云：「生殺雖居於掌握，是非原係於人，勸君休做虧心事，黑臉閻王誰放過」，可見禍福榮辱還是掌握在自己手中，而神明只是一個實現果報的中介者，故云「榮辱兩字自己求」（莆仙戲《目連救母》〈老僧點化〉）。〈司命議事〉灶神也以爲「善男信女但無獲罪於天，集福消災，何用寧媚於奧？」，莆仙戲《目連救母》〈五殿會審〉「論夭壽富貴貧與賤、貧與賤，皆是人自作自受，豈上帝初有此心？」，都指出人實際應爲自己的禍福負責。然而現實中卻不見得可以盡如人意，於是宿命觀點在此時便可以平息挫敗所帶來的沮喪，〈博施濟衆〉中「奉勸世間君子聽，有無貧富總由天，若是起心不良善，欺得人時欺不得天」，又提出貧富由天的說法，似乎和前面所云競爭、功利性格相互矛盾，但這正如佛道二家思想是儒家思想的補結構一樣，二者雖然

矛盾，但卻又可以相容互補，併存在中國人的性格之中。

三、輪迴的生命形態

　　宿命論雖是作爲一個撫慰現實的補結構出現，但是宿命論中如何去調適「榮辱自己負責」的觀點？生命「輪迴」的觀念便成爲很好的解釋。中國人素來有死而不亡的信仰，先秦時代對死後存在的思索，主要表現在不附物體的靈魂信仰上，而不附物體的靈魂主要的去處則有二，一是暫時雜居人世，一則是到陰間的天上帝所或是地下黃泉幽都；但是不論魂歸何處，基本上都表現出死後如生的信念，而具有延續生之所在的意義（康韻梅　1994：167，180）。然而，這種以靈魂延續生之所在的觀念，卻因佛教「輪迴」說的傳入，而起了重大轉變[32]，「輪迴」之說雖然也在解釋永恆不滅，但是不滅的卻是人類活動所積累的業行，透過各種假相軀殼而流轉不息（宋光宇1983：11），故生之延續不再是不附物體的靈魂而已，而是可以假托人甚至畜的肉體，再回來現實世界中承受前世積累因果報應。果報結合了「業」(karma)報以及輪迴觀念，便說明果報不但及於今生，並且還能穿過生命之鏈（chain of lives）（楊聯陞1976：358），所以今生的一切不公與苦難，都可以在前世或來生找到一個合理的解釋，使人既安於「宿命」的觀點，但同時又相信可以藉由行善積德方式，以改變自己未來的命運。

　　前世可以解釋今生所受苦難，而今生則必需爲善，以免來世繼續受苦。〈白馬馱金〉中白馬因爲前世騙了傅相二十兩銀子，所以今世罰變成馬還債；又因穿了強盜一雙草鞋，所以今日馱強盜二十里長，報應甚至可以用「量化」的方式顯現[33]，而「善

有善報，惡有惡報，若還不報，必有遲早」。這種生命無止盡延續的方式，也使得今生成爲一時的過渡，可以將現實的苦難全部歸諸於前世所種的「因」，而把希望寄託在未知的來世，譬如劇中以爲瞎子、乞丐、妓女等都是因爲前世不修行的結果，故「若問前生因，今生受者是；若問來生果，今生作者是。今生能修行，來生必定富貴」(莆仙戲《目連救母》〈重掛長幡〉)，若能及時修善，來生必定可以擺脫今生的不幸，享受無限榮華。

川劇《目連傳》「江湖本演唱條綱」中的情節安排，就是典型生命輪迴的例子。劇中由《白花島》一本開始，演出因爲蕭、郗兩家好善，所以菖蒲花神和水仙花神奉旨分別投胎到蕭、郗二家，一爲蕭衍，一爲郗氏；《反臺城》一本則演郗氏忌妒害死二妃，二妃狀告閻王，郗氏斃命，轉世爲向氏，而梁武帝被困臺城身亡，轉世爲乾元；《三家店》演桂枝羅漢告訴向氏，若剖腹洗心則可見佛，故向氏剖腹洗心以渡活乾元，佛令乾元轉世爲傅相，而向氏轉世爲劉氏，至於桂枝羅漢害向氏剖腹取心，故轉世爲羅卜，還她三斗三升眼淚救她，以爲報償。嚴密的輪迴網絡將戲中人物一一串聯起來，彼此因果冤報相繫，而此世的善惡都可以推溯到前世的「因」之上，譬如桂枝羅漢害向氏剖腹取心，故向氏轉世之後變成喪心狠毒的劉氏，而桂枝羅漢則變目連孝子以做回報。梁武帝與侯景間的恩怨也有類似的安排，福建莆仙戲《傅天斗》中梁武帝的前世是樵夫，因爲堵塞山洞，餓死群猴，猴子遂轉世爲侯景，臺城作亂以相報復。川劇《四十八本目連戲》第八本《目連》中王魁負桂英，桂英自縊，所以閻王罰王魁變女身，轉世爲金奴，而桂英則爲男身，轉世爲益利。轉世輪迴的說法，尤其運用在解釋人際間的恩怨之上。又如豫劇《目連救母》〈佛

山見子〉中因爲目連放出八百萬餓鬼，故命他轉世爲黃巢，「殺人八百萬，血流八百關，收回鬼魂」，而劉賈則轉世爲和尚，作黃巢刀下之鬼，這種輪迴安排非常的特別：孝子羅卜轉世成爲殺人魔王，而惡人劉賈反而轉世爲清修的和尚，死於黃巢刀下，善惡的分別至此似乎已經不再重要了，重要的是前世種何種因，今生便受何種果，只是在爲生命的一切善與惡、恩與怨尋找合理的解釋而已。因此輪迴觀雖然可以宣揚道德，興人向善，以爲勸善懲惡之用，但這種觀念之所以能民間大行其道，無非它足以解釋生命中一切不合理的現象，而使人獲得安慰，甚至甘心安於現況，而把希望付諸於來世。

　　總結此章所論，目連戲中的道德體系受到「儒家傳統」主流文化的統攝領導，但在由大傳統落實到民間之後，經過「三教合一」以及庶民「涵化」的過程，而形成屬於小傳統層次的「儒教中國」文化現象。其道德體系以中國家族制度爲發展的基本模式，核心主軸爲「父子倫」，並以此模式向外推展至一切的人際關係，形成「差序格局」下「分殊主義」的道德(譬如忠孝節義等倫常)，而缺乏一超越的普遍的客觀道德標準。在缺乏宗教「普遍主義」道德的情況下，劉氏獲罪的原因並不是在開葷殺生，褻瀆佛戒，或違背誓言，而是在於「逆夫背子」，違背了「父子倫」社會中以男性爲中心所架構起來的道德標準。在這父系社會中，女性只能屈居於次等地位，背負著與生俱來的「血湖」原罪，而且必需依靠男性子嗣來超度拯救，方才有解脫的可能性。故在以性別作爲預設價值標準的情況之下，凸顯性別的行爲都被視爲是敗德的表現，「性慾」的泯除也被特別提出，作爲試煉心性的標的，譬如觀音、龍女都屢次以此試驗羅卜、雷有聲等人修道的誠意。

「父子倫」社會的二大特性為「權威」與「競爭」。由在下位者的服從的角度出發，特別強調以犧牲自我的方式，以回報在上位者恩情。所以目連誠心修道是為了完成父親遺志，出家則在行孝救母，俱與個人心性的修煉無關。由於強調在下位者極度的服從，遂造成在上者絕對的威權，同時也養成忍耐順從的性格，以達成集體的和諧，故劇中反覆申明唯有「和樂」才是世間最寶貴的事物。但另一方面，儒家的入世性格卻又展現出積極「競爭」的一面，鼓勵追求現實的功名利祿，但這種追求必需在現世的官僚體制中進行，所以劇中以為上等人就是在官僚體制中位居高位的公卿侯爵，中等人為財主員外，下等人則乞丐貧民者流，道德體系與官僚體系結合為一而不分。至於佛道二家隱逸思想則只是作為儒家思想的補結構出現，給予人心靈的撫慰以及逃避的歸向而已。因而劇中雖然肯定儒家對於功名利祿的追逐進取，但卻同時也含有不少佛道二家消極出世的思想。

中國宗教與道德的分離，使得宗教傾向於功利性的工具價值，以此支持儒家道德體系，達到「神道設教」的目的。宗教所提供因果報應的獎懲，以及輪迴的生命形態，消極的功用可以解釋今生一切的不幸與苦難，使人安於現世；而積極的功用則可以勸善懲惡，使人樂於修善積德，以期得到善報。劇中傅相、羅卜行善，皆立即獲得錢財或是封賞等實質回報，至於劉氏、劉賈等人為惡，立即受到陰司嚴厲懲處，果報不爽。但這也使得民間趨於將果報視作行善積德的目的，造成庶民倫理道德流於空洞化、教條化，完全悖離孔孟宣揚的儒家學說，也將宗教行為塗上了濃厚的迷信色彩，偏重於功利實用的傾向，因而許多學者大力抨擊目連戲為封建糟粕與迷信落伍，意即在此。但如何解決庶民道德僵化

的難題，是歷來爭論不休的話題，近代「新儒學」家重新由「儒家傳統」中挖掘中國文化嶄新的價值與生命力，但如何由大傳統中推展入庶民社會，尚且待有識者進一步地深思。

【註釋】

[1]《南陵縣志》卷四〈輿地〉：

陵民報賽酬神專演目連戲，謂父樂善好施，子取經救母。王陽明先生評目連曲，曰：「詞華不及《西廂》艷，更比《西廂》孝義全。」亦神道設教之意也。（引自茆耕如1993：147）

[2]劉楨以為「事君」的忠在目連戲裡非但沒有強調，幾乎也沒有表現，而其中的孝並不包括「『事君』的所謂大孝」，故「在異族統治的年代，它是被壓迫民族心靈的吶喊」（1992：61-62）。筆者卻以為民間目連戲雖未如同文人所作《勸善金科》、《目連救母勸善戲文》明顯強調忠，然而，卻仍可清楚看見其中蘊含「忠君報國」的「君父」意識，尤其具有強烈權威性格的色彩，至於民間目連戲為何較少提到「忠」，乃是因為在社會結構上民間距離大傳統較遠，只有「家」而較無「國」的觀念，但是庶民倫理的「權威性格」卻可以向上推衍出專制集權的「忠」的意識，詳見第三節分析。

[3]周貽白(1982)以為「民間戲劇的發展決不循著說教的路子前進，而是另做醞釀，另採方式去接近群眾」，所以目連戲在民間的發展趨於娛樂的技術層面，而把「說教的部分沖淡了，甚至否定了」。本文研究模型中有關道德的部分，在由大傳統進入小傳統之時，正是呈現倒三角形的萎縮趨勢。但不容否認目連戲的情節骨幹仍然由道德條目所架構起來，尤其是孝，只是較缺乏道德的內涵。其中所呈現的庶民道德價值體系以及國民性格即是本章所欲討論的重點。

[4]余英時 (1987：168) 指出研究中國文化最大的缺憾就是庶民層次鮮少有
　　人討論。 鄭志明（1993：73-76）也指出目前對傳統社會意識形態的研
　　究，可以分為「理論學派」和「批評學派」兩大類，「理論學派」偏重在
　　儒家思想的開展與檢討，但缺點在侷限於大傳統之中；而「批評學派」
　　則重在對社會大眾作實證研究，但缺點則是缺乏對人文典籍、歷史傳承
　　的文化素養，故二者應相輔相成，綜合分析。目連戲含括的領域正可彌
　　補上述二者的不足之處，具有研究的價值與意義。

[5]梁漱溟(1982)以為：西方人的道德來源於宗教，但中國人則以道德代宗
　　教，勝過西方一籌。此種說法就中國大傳統文化立論，中國雖有早熟之
　　人文精神，但就小傳統的庶民社會而言，卻產生以宗教支持道德的功利
　　傾向，道德自主內涵反被架空，成為僵化的教條。討論時宜作區分。

[6]杜維明指出儒教中國就是我們一般所說的封建遺毒；而目連戲同樣也被
　　許多學者批評為封建階級愚民的工具 ， 但誠如余英時所言 ， 我們不宜
　　用這種泛政治化的階級觀點去解釋傳統社會中的倫理道德。譬如楊國樞
　　(1981)以文化生態學（cultural ecology）和生態心理學（ecological
　　psychology）為基礎，去討論中國農業經濟形式所造成的文化性格與行
　　為，而不單純理解為封建政治的結果，就是較為客觀的一種討論方式。

[7]有關集體主義的討論可以參考楊中芳〈中國人真是集體主義嗎？〉(1994)
　　一文。

[8]余英時反對韋伯所說中國道德屬於「分殊主義」的看法，他以為任何一
　　個社會其實都有分殊主義與普遍主義的道德存在，譬如中國的「仁」(余
　　英時1987：32)，或是商人講求的「誠」和「不欺」就屬於普遍主義(同
　　上引：141)。但正如楊聯陞（1976：368）討論中國「報」的觀念時指
　　出，中國人雖然也有普遍原則如「誠」，但從《論語》和《禮記》中卻
　　可以出孝道高於誠實，所以中國的分殊主義超出了普遍主義，為行事的

基本原則。

[9]因為各地目連戲劇本內容類似，折名卻不一，而以鄭之珍《目連救母勸
　　善戲文》情節最為完整，所以本文所引折名以鄭本為準。若引用其他劇
　　本之處，則會完整標示出劇種、劇名及折名。本章所引雖以鄭本為主，
　　但所討論的道德觀多同時出現在民間劇本當中，而非鄭本獨有，也就是
　　文人本與庶民本的道德理念基本相同，只是程度深淺有別而已，這一點
　　也可看出中國小傳統的道德理念深受大傳統的指引與領導。

[10]各地劇本多有雷公電母十打情節，如鄭本《戲文》〈雷公電母〉、莆仙
　　戲《目連救母》〈張段募緣〉等等，所列的十大罪惡大同小異，茲舉安
　　徽郎溪《目連戲》〈十打〉為例：

> 一打不忠不孝、二打不善不良、三打欺心謀主、四打用鐵用銅、五打
> 大秤小斗、六打公門不法、七打牙行不公、八打利嘴挑唆、九打養漢
> 婦女、十打輕薄兒童。

[11]〈盂蘭大會〉「永團圓」曲云：

> 須是大家為善，皆如大目連。父母劬勞也，須是追薦，共登儓，不枉
> 了平生願。

[12]民間流傳的《目連三世寶卷》及目連故事中多有目連轉世為黃巢的情節
　　出現（陳芳英1983：36-39）。四川目連戲有《十殿朝王》和《朝地藏
　　王》，敘述十殿獄主和目連打賭，如果目連能將逃出地獄的餓鬼收回，
　　就拜他為主，目連遂口念咒語，盡數收回鬼魂，故鬼王朝拜目連為地藏
　　王菩薩。這樣的情節安排，與《地藏經》普度慈航的宗旨恰好相反，目連
　　由超度鬼魂反而變成捉拿鬼魂，這其實和他轉世變成黃巢的意義相同，
　　只是以不同方式出現。故戲中借佛教地藏菩薩之名，但行的卻是驅鬼逐
　　疫的儺儀，目連變成為捉鬼的巫師，與佛教原旨大相逕庭。

[13]韋伯（1989：275-276）亦認為中國人做「功德」時帶著強烈形式主義的

性格，而缺乏宗教同情的動機。李亦園(1982)指出近年來民間宗教道德復振教派雖然振興，努力彌補中國宗教與道德分離的功利傾向，但其改革卻都偏重在形式上的作法。可見中國民間宗教極度缺乏自主的道德內涵。鄭本《戲文》雖一再強調養心的重要性，但是這些講論修心的部分到了民間劇本中卻多發生訛誤缺漏，含混不清，所以《戲文》宣揚修心養性的道德內涵似乎難以在民間成立。

[14]《目連救母勸善戲文》〈劉氏齋尼〉一折云：

> 出家之人最要修，把爹娘撇得冷颼颼，也須修得陰功滿，超度爹娘往樂土游。

正說明出家修行，須超度爹娘以盡孝道的觀點。

[15]辰河高腔、湘劇又稱作《南遊記》《觀音戲》，或如川劇則爲《觀音》。

[16]積善以得子的思想在目連戲中屢見不鮮，茲舉〈劉氏齋尼〉爲例：

> 無男無女正好修，念佛看經捨燈油，命內孤星推轉了，多男多女紹箕裘。

[17]〈求婚逼嫁〉中曹氏云：

> 忠臣不事二君，烈女豈嫁二夫？蓋君猶天也，夫亦天也，二之則不是矣。卻不道一天自誓，方是個烈女忠臣。

並嚴厲批評「爲臣的賣國欺君，甘心降賊，爲妻的失節忘夫，甘心再適」，都是無恥禽獸蠻夷行爲。

[18]類似「感謝皇恩」的字句在目連戲中不勝枚舉，以〈元旦上壽〉「清江引」爲例，就是對皇上恭敬的祝禱：

> 黎民於變干戈息，普賴君王治，山河壯帝居，日月光天德，願君王萬歲萬歲萬萬歲。

或〈三官奏事〉中視玉皇大帝有如人間皇帝，云：

> 微臣進表感吾皇，重瞳高照，賜施行善類旌褒，使微臣歲增榮耀，雨露

無私天恩浩。長生殿上風光好，濟濟臣僚佐聖朝，服侍君王朝到老。

[19] 相對於《目連救母勸善戲文》〈劉氏齋尼〉中劉氏被尼姑感化，而《超輪本目連》〈勸善〉中劉氏卻是因為尼姑勸說「夫也修來妻也修，夫妻同修上瀛洲。若還妻不從夫命，夫沒憂來妻就憂」，為了跟隨丈夫才願修行念佛，相較之下，民間似乎更加強化以男性為中心的道德體系。

[20] 〈發誓歸陰〉一折中劉氏懺悔，深怕會因此斷絕傅家香火：

　　天呀，劉氏錯了，傅家千百年香火，單傳羅卜瓦仔一身。今日屆這期間，假如苦壞了身體，百年香火，一但被我劉氏所斬，後日九泉之下，有何面目見夫君？

[21] 各地目連戲中多有此曲，可見流行，如《目連救母勸善戲文》〈三殿尋母〉、《超輪本目連》〈罵雞〉、豫劇《目連救母》〈殃煞回門〉、湘劇《目連記》〈三殿〉、莆仙戲《目連救母》〈一殿審解〉多收錄之。

[22] 杜建華 (1993：187-201) 以為四川中江縣李菁林本《目連救母》中劉氏代表反宗教偽虛殘酷的「民眾反叛意識」。劉楨 (1993) 也提出「劉氏形象的不統一」正可看出儒家與佛家雙重標準的衝突和交融。然而筆者以為目連戲中佛教與儒家道德應是融合而不衝突的，同時在「混合宗教」的情況下，佛教戒律對於一般民眾也不具約束力，因此無「反宗教」的意識可言。劉氏形象不統一的關鍵點應該在劉氏身為女性，而與男性主宰的道德體系衝突，詳見正文分析。

[23] 胡天成（1993：87）指出喪葬儀式主旨在盡孝救拔，除了誦《目連報恩經》《血河經》之外，還要拜《血河懺》《血盆懺》《血池懺》《血湖懺》《血山懺》等等。名目如此繁多，可見血湖之罪受人重視。

[24] 〈劉氏飲宴〉中傅相以楊貴妃、妙善觀音、西天王母、孟姜女四人為例，以楊貴妃貪淫縱樂為惡，而後三者為賢為善，要劉氏見賢思齊。必須注意的是，孟姜女為丈夫送寒衣、哭倒長城的舉動特別受到贊揚，得與觀

音並列，可見給予極高評價。而楊貴妃縱慾的形象則與孟姜女成爲反比對照，這種以丈夫作爲價值中心的道德標準判然若揭。

[25]如經常進入花目連劇目的《精忠》(或稱《金牌》、《岳傳》或《東窗》)演出岳飛大敗金兵，卻遭奸人陷害屈死的經過；以及《封神》搬演比干挖心，姜子牙輔佐文王降妖伏魔，皆屬此類。

[26]如福建莆仙《目連戲》以爲梁武帝前世爲樵夫，而侯景爲山中猴子，被梁武帝困在山洞中用煙燻死，故此世轉爲他將武帝困在臺城。

[27]金觀濤、劉青峰以爲中國社會結構是一種官僚體系結合家族宗法制度的一體化結構，參《興盛與危機》(1994)一書。

[28]與西方社會相較之下，中國社會千年來可說一直處於盤旋不進的狀態，本質上並無多大改變(金耀基1993：50)。這一點也可以與許烺光(1975)指出中國家族興衰(rise and fall)交替，但卻仍然維持不墜的演變形態互相參照。國家與家族二者的歷史演變形態確實有頗多相似之處。

[29]宋光宇反對楊慶①和李亦園將宗教與道德二分的說法，以爲這種說法將道德侷限在「以儒家爲主的行爲規範和道德觀念」，而他以爲「一般俗民大眾以佛家地獄罪報說爲基本藍圖，發展出另外一套俗民的道德觀和判定善惡的價值標準」，卻「是歷來知識分子所不曾注意過的」（宋光宇1984：14）。事實上，正如本章所析，庶民宗教倫理仍然不脫儒家綱領，二者基本性格相通，只在程度有別，所以庶民並非有一套獨立的道德體系，只是更將道德導入一形式化的功利傾向。Eberhard調查中國廟宇裝飾指出，廟宇裝飾的題材多源自戲曲，而忠、孝則爲兩大主題（W. Eberhard 1985：1074-1075），也可見宗教吸取儒家倫理作爲道德的綱領。

[30]例如關帝（正義與勇武之神）以及娘娘（繁殖女神）等等都是「功能性神祇」（functional deities），而且多是道德與理想實現的結果，可

見中國宗教支持既有道德的傾向，以及宗教與道德二系統間緊密的依賴性（楊慶堃1976：336）。

[31] 例如祭祀祖宗就是一種「交互報償」的行爲，就大傳統而言，祭祀祖先具有「崇德報功」「慎終追遠」的理想，然而，對於一般大衆而言，祖先會降福給生者是促使他們按時祭祀的重要因素，寄望於超自然的幫助以及懼怕超自然的懲罰遂給予親屬系統穩定有力的影響（楊慶堃1976：333）。

[32] 宋光宇〈中國地獄罪報觀念的形成〉(1983：4)一文指出中國本土原有的地下世界觀念，在張騫通西域之後佛教逐漸傳入，帶來瑰奇壯麗又多彩多姿的地獄與罪行信仰時，遂經不起衝擊而崩潰，以後所見到的中國地獄罪報信仰，便都是佛教的或被佛教同化了的概念。

[33] 《太上感應篇》所附功過格其實就是一個顯著例子，所有世俗社會的回報關係都可以用金錢的數量來分析，若加以研究，對中國的道德價值應頗有幫助（楊聯陞1976：360-361）。

第四章 目連戲中滑稽小戲的內容及意義

　　前面兩章討論目連戲中的宗教與道德，理應已能清楚說明構成目連戲的本質與特徵，足以解釋本文研究模型中宗教與道德二元子系統各自的內涵，以及彼此間的互動關聯。然而，就實際演出的史料記載和民間流傳的劇本來看，目連戲卻攙雜大量的插科打諢，它所占據的龐大份量已不能只當作是一種調劑或點綴，這些小戲幾乎就是民間演出的主要成分[1]，深受觀眾喜愛，然而卻因為其中淫穢下流的語言動作，屢次遭到官府明令嚴禁（詳見第二節）。《寧國縣志》卷四〈政治志·風俗〉：

> 迎神賽會，必招梨園演戲，鄉俗信鬼，每十年則大演《目連》一次，或三日或七日，輒數百金不惜，迷信之久，一時不易破除。時有皮影戲、黃梅調、花鼓戲，花鼓曲盡淫俗，傷風敗俗，莫此之甚。現為有司嚴禁矣。

（引自茆耕如1993：147）

目連戲中穿插傷風敗俗、淫穢鄙俗的小戲，不僅與本文第三章所討論的道德教化矛盾，更是背道而馳；而在迎神賽會的宗教神聖場合演出淫俗小戲，也令人詫異不解。

　　因此，本文所提出的宗教與道德二元子系統的研究模型，似乎無法解釋目連戲中所存在的大量滑稽小戲，故本章將嘗試說明目連戲中滑稽小戲與宗教、道德之間的關係。首先討論目連戲中

滑稽小戲的內容？演出的方式？爲何能廣受庶民歡迎以及它的象徵意義。而它又如何融入宗教與道德意味濃厚的目連戲中，卻又不產生扞格？這些滑稽小戲與唐代參軍戲演出極爲類似，它與原始戲劇發生的形態有何關聯？必需說明的是，本章所指滑稽小戲，實包含一切淨丑插科打諢，以及歌舞、角觝等等的演出，凡表現庶民滑稽趣味的歡樂場景都包括在討論範圍之內。

第一節　滑稽小戲的內容

一、滑稽小戲為演出時的重要部分

周作人敘述家鄉紹興的目連戲道：

> 吾鄉有一種民眾戲劇，名《目連戲》，或稱曰《目連救母》。每到夏天，城坊村鎮釀資演戲，以敬鬼神，禳災厲，並以自娛。所演之戲有徽班、亂彈、高調等本地班，有大戲《目連戲》。末後一種爲純民眾的，所演只有一齣戲，即《目連救母》。……七、八小時，所做的，便是這一件事（指目連救母之事）。除了首尾以外，其中十分七八，卻是演一場場的滑稽事情，算是目連一路的所見。看眾最感興味者，恐怕也是這一部份。（周作人1993：202-203）

這段話描寫的雖只是紹興一地目連戲演出的情況，卻頗能指出目連戲的特徵：目連戲與其他戲劇相較，可說是一種純粹庶民的娛樂；內容絕大部分是由一段段滑稽小戲所組成，穿插在目連救母的情節之中，充分表現出「民眾的滑稽趣味之特色」（同上引：203）。郭漢城亦指出，浙東一帶農村演出紹劇《目連記》無非是

科諢雜戲，因情敷衍，即以救母之事爲骨幹，塡充入各式雜技以及滑稽內容，譬如結合傅相做壽，就敷衍「十不親」、「啞背瘋」等滑稽戲；演到劉氏焚廟，則插入「疊羅漢」、「耍龍」、「窺刀」、「窺火」等；趙氏尋死，則出「女吊」，劉氏死則「跳無常」（郭漢城1995：262）。在這種情形下，貫穿劇情的主線「目連救母」在演出時反淪居陪襯的地位，而眞正能吸引觀衆注意力的卻是這些插科打諢，滑稽戲可說有「喧賓奪主」的趨勢（周作人1993：204）。

　　不僅紹興一地如此，與鄭本《戲文》相較，各地方本均明顯擴充滑稽小戲的部分。　王躍（1990：43-44）指出川劇四十八本目連戲《連台戲場次》基本上採用鄭之珍本，但卻多出四十五齣，其中有(1)民間藝人對鄭本相關情節的豐富，譬如〈博施濟衆〉擴充成爲〈貧民上路〉、〈弟兄趕濟〉、〈老背少婦〉、〈會緣濟貧〉，創造許多滑稽詼諧的表演；又如〈尼姑下山〉、〈和尚下山〉變成〈尼姑思春〉、〈和尚私逃〉、〈尼姑下山〉、〈僧尼會合〉。(2)有的爲鄭本所無，屬民間創造者，譬如創造李狗這一個幫助劉氏開葷殺牲的丑角人物，而有〈李狗盜袍〉等；或是如〈五殿打賭〉、〈十殿閻羅〉、〈朝地藏王〉、〈幽冥教主〉，敷衍羅卜和閻王打賭，若能盡數收回鬼魂，則十殿閻羅均朝拜目連爲王。杜建華（1993：148-163）也指出川劇目連戲甚至出現正戲丑演的奇特現象，譬如〈丑賜馬〉一折根據三國戲〈大宴賜馬〉演變而來，加在目連遊十殿的前後演出，曹操關羽均以襟襟丑應工，在舞台上進行滑稽表演；除了丑戲進入目連戲的劇目體系，目連戲本身表演也受「丑」的藝術觀念影響，時時穿插丑角演出，譬如〈李狗賣符〉、〈拉謊扯殿〉或〈戲閻羅〉，均爲鄭之珍《戲

文》或張照《勸善金科》所未見。至於湖南目連戲也是採用鄭本，
而有所增刪：刪節的多爲勸善懲惡的情節，譬如偷情的和尚尼姑
都沒有下陰司受罪的情節；增加的則多爲詼諧逗趣的情節人物，
譬如（博施濟衆）一折變成(兄弟求濟)、(孝婦求棺)、(老漢馱
妻)、(花子求濟)四折；或是幫助劉氏開葷的無賴李狗兒，以他
爲主線的就有〈趕狗上路〉、〈盜袍收僕〉、〈遣買餐牲〉、〈花
園埋骨〉、〈益利逐狗〉等折，皆是以丑行應工的重頭戲（文憶
萱1984：218-220）。而祈劇目連正傳新增的二十六齣戲中，丑角
戲約佔了一半，譬如李狗兒主演的〈趕狗上路〉、〈狗兒盜袍〉、
〈劉氏收僕〉、〈遣買餐牲〉、〈倉廒搬骨〉、〈花園埋骨〉、
〈益利逐狗〉、〈狗兒下陰〉；或是如滑稽戲〈僧背老翁〉、〈鬼
打賊〉、〈瞎子逛燈〉、〈瞎子鬧店〉、〈請巫祈福〉、〈兄弟
乞討〉，歌舞戲〈追趕芙蓉〉、〈三匠爭席〉、〈尼姑思凡〉，
以及啞雜劇〈夜盜救生〉、〈羅漢演武〉、〈九殿不語〉，皆具
詼諧逗趣的表演特色（劉回春1992：308，1993：84-87）。

目連救母故事本來具有濃厚的悲劇色彩，但地方戲卻出現如
此大量與鄭本《戲文》風格迥異的「喜劇穿插」，使得實際演出
時充滿娛人的歡樂氣氛。李懷蓀（1989）即指出，雖然辰河《目
連》對鄭本添枝加葉的部分不全然是喜劇，但即使是加進悲劇的
關目，卻也往往在其中穿插著喜劇的片段或是情節，譬如〈博施
濟衆〉中乞丐、瘋婦都是以喜劇形象處理；而〈蜜蜂頭〉本是一
場悲劇，但是演出時卻加入〈艄子打網〉這齣流行湘西民間的小
戲，爲漁人張艄子和老婆的插科打諢；或如〈耿氏上吊〉本也是
一幕悲劇，但演出時扮演耿氏兄長的演員做丑扮，混雜在觀衆
中，等耿氏上吊身死，便立刻衝上台去找方卿算帳，與方卿有滑

稽的舞台表演；〈趙甲打爹〉一折趙甲虐待老父，要父親將包穀一粒一粒用線穿起來，吃下去，再將包穀從肚子中拉出來，這些大量滑稽荒謬的喜劇演出，不僅沖淡甚至是泯除了原本悲劇的成分。所以黃錫鈞（1990：146）以「無孔不入地插科打諢」來形容泉州目連傀儡戲，而戲中雖逗趣的諢話碎白連篇，觀眾卻聽得津津有味，不厭其「繁」。

　　顯然若和屬於文人之作的鄭本《戲文》或《勸善金科》比較起來，地方目連戲充滿庶民娛樂與戲謔，但為何會出現如此多的喜劇呢？下面將先討論這些滑稽小戲的內容為何？究竟以何種手法呈現？以便準確地掌握這些滑稽小戲演出的意義。

二、荒謬的情境

　　目連戲多半是藉由營造出一荒謬的情境的方式，來達成滑稽逗趣的喜劇效果，最為明顯常見的就是對鬼神世界的嘲弄。鬼神原本應屬於一崇高的神聖境域，凡人不敢稍加輕犯侮辱，然而在目連戲中卻屢見汙衊神鬼的情節，並借此來嬉笑取樂，譬如川北燈戲〈劉氏回煞〉一折，便一反神鬼世界的肅穆陰森，而充滿活潑、幽默的喜劇風格。劇中劉氏與鬼差一並回煞陽間，然而家門口當差的門神卻溜班不在，鬼差甲、乙二人假扮門神來戲弄劉氏：

　　（神甲）：何方野鬼好大膽。

　　（神乙）：埋起臉殼往裡站。

　　（神甲）：我兩位將軍往前站。

　　（神乙）：妳這個婆娘難過關。

　　（劉氏）：你兩個黑不溜秋瞎了眼，我本是員外娘子回家

園。

（神甲）：（攔住）站倒呵。

（劉氏）：攔倒我幹啥？

（神甲）：想進門，先把言語説伸展。

（劉氏）：有話就説，有屁就放。

（神乙）：嘿嘿！變了鬼，妳還要把架子端。

（劉氏）：呵喲！你兩個又何必神氣活現，論底細只值二
　　　　　百錢，買回來貼門上看家護院，老娘我回家來
　　　　　還不靠邊。

劉氏大膽輕視門神不過是二百錢買回來的一張紙像，言語潑辣凶
悍且機智，其後並嚇走門神呑口，和鬼差一併行禮祭拜，搶食桌
上的祭品。劇中不論鬼或是神都失去了昔日的輝煌和猙獰，反帶
上市井習氣，成爲被劉氏嘲笑戲弄的對象（杜建華1993：227）；而
有些〈回煞〉的演出則以尉遲恭、秦叔寶爲門神，二人索性作丑
扮，配以木偶表演身法，令人發笑（同上引），故原本應是一幕
蕭穆陰森的鬼戲，反而從頭至尾都洋溢著濃郁人情味的歡喜氣氛。
類似此種人、神、鬼相互調戲取樂的演出，也同樣出現在蓬溪儺
戲〈劉氏四娘哭嫁〉一齣中，此劇演出土地在劉氏出嫁前夕，前
往「勸善」，卻與劉氏調笑戲謔，因爲內容荒誕離奇，語言粗俗
汙穢，而且演出時土地可以不著任何衣物，只要戴著面具即可，
並在台上與劉氏表演各式猥褻動作，暴露原始的性愛意識，所以
不准女子觀看，但卻頗受到鄉民的青睞(杜建華1993：228-231)[2]，
根據該劇整理者劉新堯先生介紹，此劇曾在鄉間輾轉演出，農民
圍觀者甚衆，樂此不疲（同上引：252）。

　　除了上述兩齣特別的四川儺壇小戲之外，上虞啞目連有〈送

夜頭〉一折，活無常戲弄劉氏的家丁，和他搶酒喝，搶麵條吃；
〈前拘劉氏〉中活無常捉拿劉氏，卻錯捉成夜魃頭，故相互埋怨
不已（羅萍1984：247）。鄭本《戲文》〈請醫救母〉一折在祈劇
變爲〈請巫祈福〉，將醫生一角改爲以丑應工的毛師公，前來爲
劉氏驅鬼治病，但他不僅驅不了鬼，自己反遭鬼戲弄，落得狼狽
而逃；湘劇目連戲也有近似的〈啞子收魂〉一折，以丑應行的啞
道士爲劉氏驅鬼收魂，傅家謝他一副熟豬腸，沒想到鬼卻尾隨道
士回家，和他一同搶食豬腸，末尾人鬼相碰而諢下（文憶萱1984：
219）。《超輪本目連》〈打狗〉一折中狄狗奴甚至欺負小鬼，
要把它捉去煮了湯賣。這些齣目內容雖各自相異，但基本手法卻
相同，不外是打破了一般常情中鬼或神所籠罩的恐怖或神聖的氛
圍，演出人、鬼、神之間相互平等地戲弄往來[3]，營造出一個不
可思議的荒謬情境，使觀衆覺得滑稽可笑。

　　劇中最荒謬的莫過於對地獄閻王的戲弄。地獄本是實現公理
正義、執行賞善罰惡的陰間法庭，嚴峻無情，不稍加寬貸，然而
目連戲中卻屢次出現嘲弄地獄閻王顢頇無能的荒謬情節，川劇目
連戲常演〈戲閻羅〉一折可說是顯著的代表。[4]〈戲閻羅〉故事
敘述目連打破鐵圍城，陳倉老鬼甘脫身也趁機逃出，憑著伶牙利
嘴從一殿哄騙過四殿，而來到五殿騙取過關的關牒，將暫時代理
五殿閻羅職位的聶正倫耍弄得團團轉。劇中把陰間貪官汙吏的昏
庸形象描繪的淋漓盡致，譬如代理閻王聶正倫上場唸詩云：

　　　　休道官吏有分別，其實官吏皆一脈。千里爲官只爲財，哪
　　　　管殺人遍地血。……雖說陽間當官好，陰曹也能把錢搞，
　　　　天下烏鴉一般黑，何必勞神四處跑。

甘脫身冒充巡天都御史，百般戲弄聶正倫，甚至聶還不得不向他

行賄關說，當他識破甘脫身的眞實身份之後，甘脫身反倒行賄牛頭馬面，以求免油炸之刑，末了聶正倫甚至請求甘脫身留在身邊充作牛頭，以便敷衍閻羅王。不僅〈戲閻羅〉一齣將閻王塑造成荒謬無能的形象，目連戲中也常見以愚昧滑稽的丑角應工演出地獄官吏者，皖南本《目連救母》〈解到三橋〉（或湘劇《目蓮記》〈三河渡〉等）地獄橋楔刺使作詩，卻一再出韻，身旁隨從的小鬼屢次糾正他的錯誤；或是湘劇《目蓮記》〈四殿〉中四殿閻王竟然是個聾子，將「修善」之人誤聽成「挖鰍鱔」，打入地獄，將「屠殺」聽成「菩薩」，請上天堂，再三做出荒謬可笑的判決；而紹興《救母記》〈邋遢〉折中地獄官曹自稱爲「邋遢四相公」，論及刑具時，也出之以滑稽戲謔的口吻，道：

> （曹）我要他頭腦痛。（鬼甲）滋滋滋！我有金鋼鑽。
>
> （曹）我要他背上痛。（鬼乙）煉煉煉！我有銅鎚楦。
>
> （曹）我要他身發寒。（鬼丙）鏍鏍鏍！我有鐵搧搧。
>
> （曹）我要他身發熱。（鬼丁）唔唔唔！我有火筒罐。

用這種方式形容刑具，只使人感到滑稽而不覺畏懼，故湘劇《目蓮記》〈開殿〉中鬼卒懲罰不孝子趙甲，而趙甲以丑扮，甚至放肆地嘲弄鬼卒：「你們莫有吃飯？打得痛不痛，癢不癢，可憾！」。這些荒謬不可思議的情節，與本文第三章第四節中所論及以地獄因果報應來勸善止惡、教化人心的主旨，可說是大異其趣，幾乎足以推翻陰間法庭主持公理正義的權威形象。

四殿閻王審判耍兒郎被妻子某氏通姦害死一案，也是令人捧腹絕倒的滑稽場面，茲以皖南本《目連救母》〈追趕四殿〉爲例，如下：

> （外扮閻王）耍兒郎，你妻子說你雲雨事兒全不知。

（丑扮耍兒郎）我曉得天上起了雲就要下雨。

（外）不是雲雨事。

（丑）銀魚，我曉得，小小眼睛，一筷子扛了多少，上好
　　　吃的。

（外）不是銀魚，附耳朵上來（言言）。

（丑）老爺好不正經 ， 我到她家去 ， 她家母親請我吃東
　　　西，我若做了那個骯髒事，她家母親就不喜歡我了。

（外）做了此事更加喜歡你了。

（丑）老爺我不做，你要做只管去做。

（外）某氏說來。

（貼扮某氏）我只得扯他一把，他高聲大語把爹娘叫。

（外）耍兒郎，你妻子扯你一把，你爲何叫爹娘起來？

（丑）有道癢就笑，痛就叫，他這個所在。（扯老爺介）

（外）哎唷。

（丑）老爺都叫，怪我不叫。

（外）某氏說來。

（貼）我只得摟抱胸膛也，抱胸膛，他又睡著了。

（外）耍兒郎。

（丑）何事？

（外）你妻子將你摟抱胸膛，你就該乒乒乓乓做起來。

（丑）半夜三更哪裡去叫和尚道士做起來？

（外）插一個梢。

（丑）和尚道士叫不出來，那裡又去叫木匠？

（外）附耳上來。（言言）

（丑）我總不做那個事，你這個老爺打蠻鎚。

末了閻王只好判決某氏該重新投胎做男，耍兒郎該投胎做女。此齣耍兒郎一派天眞無知，當閻王傳授他雲雨之事時，他甚至數度嘲笑閻王「好不正經」，所以反而須要高高在上的神祇來教導凡人如何享慾，人格與神格恰顚倒易位，遂造成一出乎常理之外的荒謬場面。

除了對鬼神世界的嘲弄，目連戲中〈博施濟衆〉或〈會緣濟貧〉一折，正如前段所述地方戲多將它擴充敷衍成爲數折演出，可見是滑稽場面的一大重頭戲。戲中無非是各種反常的小人物輪番上陣到會緣橋乞討，有癱子、跛子、瞎子、瘋子、乞丐等等，藉著表演各種技巧來誇張暴露殘疾人的病態，據《內江地區戲曲志·表演》記載：段斌臣扮演瞎子，上下眼皮翻起，使紅肉暴出，中間不露瞳孔，只見一白線；游澤和、韋步雲扮跛子，雙腳不著地，一腳懸起，另一腳盤在拐棍上鶴立不動，還能做出許多姿勢；癱子以丑扮，出場時坐在地上銼著走，兩腳向上翹起，後來則雙手撐地倒立而行；尤其「老背少」（或稱「啞背瘋」）的表演，由一人扮演啞夫背著瘋婦這兩個角色(引自杜建華1993：82)，並且在傅家家丁的要脅下表演相互親嘴。戲中並穿雜〈何家〉何有聲、何有名（或作何有仁、何有義）兩乞丐兄弟的插科打諢；或是〈打癱〉中衆乞丐互相爭奪傅相布施的食物；癩乞丐丈夫以及瞎乞丐婆兩人的打情罵俏也多成爲獨立一折[5]，演出丈夫爲癩、妻子爲瞎的戲弄與對唱，他們二人甚至還自比爲霸王和虞姬，有如下對話：

（淨）：老婆。（丑）：老公。

（淨）：美人。（丑）：大王。

（淨）：瞎狗娼。（丑）：癩狗。

運用「好個花對花來柳對柳，破畚箕鐵掃帚」的強烈對比，凸顯出這些殘疾人物卑賤低下的處境，而荒謬的是，劇中卻絲毫不以此為悲苦，反而正是藉由嘲弄殘疾來取樂，以達到滑稽的喜劇效果。

在這些理應悲傷的不幸場合，卻出之以荒謬滑稽的科諢，這種喜劇處理的手法不免遭文人批評為粗俗鄙陋，缺乏美感[6]，而且也令人覺得唐突詫異。然而除了藉由嘲弄人的殘疾缺陷來取樂之外，正如同前面曾提及目連戲在悲劇的關目也多加入丑化的喜劇，其中尤為甚者便是傅相死後的吊喪場面。福建目連戲有「夭使」一丑角，在傅相死後率領眾乞丐朗讀祭文，不僅大悖常理（陳紀聯1990：95-96），而且祭文曰「傅公身死，有錢難贖；鄉人來弔，不用魚肉」（莆仙戲《目連救母》〈鄉重行弔〉），也十分荒謬可笑，純屬插科打諢之戲；《超輪本目連》亦有類似情節，在傅相〈辭世〉後緊接〈齋堂〉一折，演出鄰居相邀前往弔問的科諢，在進了齋房之後，丑云：「金剛菩薩好粗腿，羅漢菩薩好大頭，沒有人在此，我來鬧他的齋房」；丑鬧齋房經堂的情節在皖南本《目連救母》〈修齋追薦〉中則有更加詳細的描寫，丑角扮小和尚，為傅相舉行追薦法事，但卻恭喜傅家道：「恭喜令尊。……去了一個吃飯的，可是恭喜」，而〈曹公吊慰〉中曹府派代表前來弔慰，也以丑扮，不僅調戲金奴，還在經堂中出恭，偷竊法器，做出種種滑稽荒謬之事，將傅相逝世的悲傷的氣氛一洗而空。

最令人感到驚異的是，在喪葬場合中結合超度亡魂儀式演出的目連戲，理應十分肅穆哀傷，但卻也攙雜入大量諧趣的插科打諢。李豐楙(1992)調查台灣中南部道教拔度儀中的目連戲曲時，

指出戲中劉氏沒有出現，但卻安排另一丑角雷有聲和目連成為對照，插科打諢，主要戲曲由目連擔綱演出，而諧謔、笑白都出自雷有聲之口，形成一莊一諧、一悲一喜的表演。王天麟(1994)所記錄桃園縣楊梅鎮顯瑞壇拔齋儀目連戲的「打血盆」以及「引亡過橋」法事，其中也穿插了不少逗笑、討賞的諧謔性演出。十九世紀荷蘭漢學家兼人類學家高延(J.J.M.de Groot)在廈門所觀看的七月普度薦亡的目連戲（又叫「撲戲盆」、「搬戲盆」或「撲地獄」），便常把目連的故事編改成為鄙俗的笑劇，由兩個丑角一個扮豬，一個扮猴或狗，一路跟隨這位尋母的目連聖僧，透過種種滑稽的表演博得觀眾捧腹大笑（龍彼得1992：55）。這些滑稽演出，無非都在營造出一個違背常情常理的荒謬情境，雖出乎人意想之外，但觀眾卻能從中得到莫大的樂趣。

三、對道德的輕蔑

除了上述營造荒謬情境以引人發笑之外，對道德規範的踐踏與破壞是目連戲滑稽小戲的另一主要內容。首先，嚴格遵守佛教清規，禁慾修身的和尚便成為戲中最喜嘲弄的對象，皖南本《目連救母》〈掛幡周濟〉一折，由丑扮小和尚，雜扮小道士，而有如下科諢：

（丑）西方路上一隻鵝，口啣青草唸彌陀，畜生也有修行
　　　路，人不修行怎奈何？南無阿彌陀佛，我一金鉤掛
　　　搭倒，你往哪裡走？

（雜）你這倒塌鬼的，為何咬住我的木魚槌？

（丑）吓，我只道是個鱔魚頭。

（雜）呀吓，出家之人，吃不得黃鱔。

（丑）不相關，黃鱔當掛麵，烏龜當煎豆腐，道士把我當
　　　小菜。

（雜）呀呸！烏龜是個葷的，怎麼吃得？

（丑）是素的，肉在裡面，殼在外面，猶如那女人套背褡
　　　子，素成打扮，是個素的，南無阿彌陀佛。

（雜）和尚為何這等高叫？

（丑）道士，你有所不知，那佛在西天我不高叫，他怎聽
　　　見？

（雜）有道佛在心頭坐。

（丑）狗肉穿腸過。

（雜）呀呸！該死該死。狗肉都講了出來，不但我是五葷
　　　帶頭，還帶厭。

（丑）不帶厭，還帶補。

將「木魚槌」當作「鱔魚頭」，並以為「烏龜」「女人」外表形式
都是素成打扮，所以破葷、色二戒無妨；而當傅相說十大布施之
時，丑和尚還要求十一大布施，要傅相布施一個老婆給他。戲裡
屢次可見和尚暴露原始慾望的滑稽場面，祈劇〈僧背老翁〉（即
鄭本《戲文》〈插科〉）中老翁便假扮女子來色誘和尚，百般加
以挑逗戲弄(劉回春1993：84)。至於〈和尚下山〉、〈尼姑下山〉
更是二折著名的關目，各地方戲對此段情節多半加以擴充敷衍，
例如《超輪本目連》便鋪陳為〈梳妝〉、〈女思春〉、〈男思春〉、
〈相會〉等折，長篇宣洩和尚尼姑在長久壓抑之下對性慾的渴望，
以及私奔幽會的大膽熱情[7]，因此目連戲中的和尚往往被當作為
一個取笑的對象，認為他們是性偽善者(Teiser 1989：211)。

　　不顧道德禮教約束，男女之間大膽調情，言語動作充滿性

的暗示正是民間滑稽小戲的特色。目連戲中自然不乏此種場面，〈一枝梅〉末尾傳相家丁要脅梅氏要和丈夫親嘴，才肯給她布施的銀兩；而湘劇《目蓮記》〈見女〉一折更幾乎全爲曹氏丫環與段公子及僕從間的打情罵俏，言語粗俗大膽，茲舉片段爲例：

（丑扮梅香）你是誰家浪子？

（淨扮段公子）我乃段家公子。

（丑）丫環兩粒卵子。

（淨）來旺，丫環哪有卵子？

（小扮來旺）遍卵子。

…………

（淨）我們想你家小姐。

（丑）想我家小姐，不能回去賞幾百畝庄田，抬得幾蒲包銀子，把老娘娶了家去。

（小）一個錢買了去做個溜屎棍。

（丑）修個萬年香火，不講別個東西，走出幾個悄步，想死了你這個短幸的。在書房攻書，想起老娘悄步，這一頭扒到那一頭，那一頭扒到這一頭，把一床蓆子扒這兩個大洞。你這個小短命死的，臥在馬房裡想起老娘俏步，扒到馬肚子上一筆挺直。

如此調情方式，直接而不隱晦，以藝術眼光衡量自是鄙俗無文，但卻能迎合庶民階層的趣味。劇中不僅人，連鬼也大開葷腔，高淳本《目連戲》〈罵雞〉中巡風鬼道：「王王做事太不公，他今命我去巡風，遇到婦人來撒尿，胯下夾了一個毛東東」；《超輪本目連》〈罵雞〉中閻王也趁著審問的機會偷腥，輕薄俞賽珍；〈主僕相會〉一折中強盜更把轎子中的婦人和金奴的衣服剝光；

豫劇《目連救母》〈劉甲逃棚〉有長篇小大姐看公母蛤蟆交配而思春，未出閨門卻懷胎，以及嫖妓、偷窺婦女出浴等淫褻唱詞；而前面曾經論及的蓬溪儺戲〈劉氏四娘出嫁〉中土地公與劉氏的演出，更是粗鄙猥褻，充滿性意識。

　　除了原始慾望的宣洩之外，戲中佛門戒律幾乎全成為嘲笑的對象，譬如齋戒一事，〈主僕相會〉中地獄的渡船夫原是陽世齋公，卻因為不小心吃了一口銀魚，遂被罰擺渡三年方可超脫；《超輪本目連》〈孤淒埂〉中公差押六奶奶過孤淒埂，道：

　　　　（老扮公差）只因六老爹，當朝宰相亡過，打下七七四十
　　　　　　九天齋戒，三樁事做得不好。（哪三事？）褲子帕
　　　　　　豆腐，馬桶子蒸飯，桐油煎豆腐。
　　　　（末扮強盜）哪褲子帕豆腐？
　　　　（老）那幫忙人多，豆腐師父亦道六奶奶，一口漿袋來不
　　　　　　及。做一口漿代添，六奶奶到房內撿來一撮棉布，
　　　　　　做了漿袋。褲子料，心意不好。

因為各種可笑的理由違反齋戒，便須下地獄受刑。至於不殺生的慈悲觀也成為笑料的題材，如《超輪本目連》〈獅螺〉羅卜囑咐賣獅螺者「從今以後不可再摸獅螺」，他卻回答「我捉烏龜來賣」；因果報應亦變得荒謬可笑，如湘劇〈主僕相會〉的陰間強盜當年曾受劉氏布施，立誓到陰司定回報她一個「雞屁股恩」，並殺兩個胖鬼兩個瘦鬼給劉氏吃；會緣橋濟貧的瞎子報答益利恩情的方式，竟是祝他永遠在傅家作傭人。甚至佛號也被拿來取笑，《超輪本目連》〈馱金〉中山寨強人負荊請罪，徒眾對傅相云：

　　　　（眾扮強盜）齋公不打我家大哥，我們代打幾下。
　　　　（外扮傅相）善門之家不會用刑。

（眾）罵我們幾聲。

（外）素口，不罵人。

（眾）唸幾句阿彌陀佛，毒死我們。

（外）說笑話了，後堂用齋去吧。

（眾）也不打，也不罵，還有齋飯用，實實好老人家。

（小）這叫什麼？

（眾）殺這個老頭子開刀。

不僅嘲諷「阿彌陀佛」唸佛之語，還因傅相過於慈善而欲殺之，類似此種插科打諢，對佛教道德戒律極盡能事地嘲弄。

儒家倫理當然也在遭受消遣逗趣的行列之中。滑稽戲中頗多磨滅親情以為笑樂的場景，如《超輪本目連》〈打店〉中丑扮龍寶，騎著父親劉賈變成的驢子下場，並邊打邊罵道「回家去殺驢子，賣驢湯去了」。趙甲打父更是令人印象深刻的一幕，皖南本《目連救母》〈趙甲打父〉趙甲說「養個老子不成人，恨不得一下打死。」，責罵父親為「沒有家教的東西」，兒子竟反過來教訓父親，而當羅卜問他為何如此時，他答道：

（丑）客官有所不知，我家那個老子，總要好的吃，吃了又不做，還天天拿個養兒待老講。

（正）養兒待老那是理當。

（丑）理當，你只是曉得講。他家個老子。弄了個老婆，與他生出個我來，我待他的老。我今年也有四十拉哈，就沒有結果，替我弄個老婆，我老得來的時候，你待我的老？

「養兒待老」的觀念在這裡反而成為兒子不孝順父親的理由。劇中「孝順雙親十六兩，後代兒孫還半斤」雖點出兒子還報父親的

義務（見第三章第三節），然而這層道德義務在此卻反而造成父子間的衝突，故劇尾丑背外扮的父親，卻又被推倒在地，引起子打父的憤怒，顯示父子結間的複雜糾葛；而有些地方戲甚至以為「趙雀打老子，雷公菩薩來打他，可是趙雀沒有死，因為趙雀的父親一樣也是打他的父親的」（趙景深1995：246），可見已不能單用不孝去解釋趙甲的行為，這背後無疑對倫理道德體系有著更深一層的顛覆意義，這種藉由顛覆來取樂的行為在下節將有進一步分析。

家族乃是中國社會制度及道德體系的基本模式（見第三章），但滑稽戲中屢屢將家族觀念瓦解，紹興《救母記》〈濟貧〉一折叫化子兄弟鬥嘴要分家：

　　　（付）勿要來叫我。（丑）扯你爛口。

　　　（付）勿要來扯我。（丑）扯你爛手。

　　　（付）我自起著。（丑）看你去綠。

　　　（付）綠啥個東西？（丑）綠祖宗。

　　　（付）祖宗你也有分。（丑）祖宗我也有分。

　　　（付）我同你來分。（丑）分、分、分。

　　　（付）屋裡別樣東西無有，只有一個木主在此，我是大
　　　　　　房，得一個木盞。

　　　（丑）拿不起你做刀盞。

　　　（付）你是小房，得一個木主心。

　　　（丑）拿來好作鋤頭隼。

把祖宗牌位拿來嬉耍，在儒家倫理看來是大逆不道的行為，然而此處卻以此戲謔；乞丐在會緣橋上唱的「十不親」曲，以為丈夫、老婆、兒子、女兒、叔伯嬸娘都不是親，不值得信賴，唯有

銀子才親，更把親屬倫理完全顛覆推翻。甚至公媳之間的亂倫也成爲笑料，《超輪本目連》〈齋堂〉鄰居相邀去弔慰傅相之喪的一段對話：

> （丑）：我的肚子大了，不能去。
>
> （占）：你家老公三年不在家，你肚子怎樣大的？
>
> （丑）：是我家公公的。

以及〈罵雞〉中巡風鬼唸上場詩道：「誰家媳婦打公公，公公拐棒一頓拐，媳婦奶頭一頓甩，甩到公公一嘴奶，媳婦兒，好甜奶，孝順公公再甩甩」，這些情節均大大悖逆道德禮教。〈齋堂〉一折叫丑扮的劉小官人去弔姑老爺傅相之喪，他回答「不會見禮」，故家僕劉興教導他：

> （外）我來教導於你。我把手一端，你作一個揖。把腳一蹬，你磕一個頭。把手一抄，爬起來。這個樣兒，你在此見試看看。……小官人，伶俐得緊。
>
> （丑）伶俐人死得早。
>
> （外）乃是進得早。我扛尖錢，你在後來，還要哀喪而進。
>
> （丑）不會哀喪。
>
> （外）在學堂，先生打你一哭起來。
>
> （丑）我哭在行的。
>
> （外）到了門前，哭起來。（吹介）

哀喪之禮變成徒具可笑的外在形式；而〈何家〉中何以生、何以明兩乞丐兄弟，也拋棄廉恥，去會緣橋上乞討布施[8]，在插科打諢中禮義廉恥都遭到蔑視嘲弄，無怪乎文人或官府對滑稽小戲大加撻伐，以爲足以敗壞風俗（見第二節）。

紹興《救母記》〈四景〉中偷牛賊一搭一唱：

（淨）我前日盜了王家郎的牛。（付）你好造化。

（淨）被李四娘瞧見了。（付）這遭不好了。

（淨）我好意送她牛肉。（付）阿哥，你好主見。

（淨）反把我呈送當官。（付）放她娘的狗屁。

（淨）將我捆打四十。（付）正正齊殺她的親娘。

（淨）我心中不服。（付）你意下如何？

（淨）我前面封了鎖。（付）我後門放了火。

（淨）我一刀。（付）我一槍。

這與〈王婆罵雞〉中王婆與偷雞賊的互相對罵；或與〈見女〉中段公子與丫環梅香鬥嘴調戲，場都如出一轍，俱徹底暴露出人性陰暗邪惡的一面，但卻又以滑稽丑角演出，逗人笑樂。實際上，這些滑稽小戲勸化世人的諷諫意圖已經相當模糊[9]，而殘疾的、敗德的或縱慾的場景應該屬於令人不快的醜惡事物，但為什麼又會帶給庶民歡樂愉悅呢？它們背後有何意義？這是下節所欲探討的問題。

第二節　庶民嘉年華式的愉悅

一、庶民嘉年華式的狂歡與縱慾

　　學者對於穿插的滑稽小戲向來不離下列兩方面的解釋：第一、如李漁《閒情偶寄》主張科諢乃是「於嘻笑戲謔處，包含絕大文章，使忠孝節義之心，得此愈顯」，故丑角不是醜角，乃是藉由否定的方式來肯定美，具有崇高尊貴的地位（戴平1986）。[10]第二、具有「喜劇調節」的作用（Merchant 1978：435-458），緩和悲

劇的氣氛，釋放觀衆緊張凝重的情緒[11]，至於喪葬場合演出插科打諢的滑稽諧噱戲，則是爲了安慰與紓解家屬過度悲哀的情緒（李豐楙1992：111，王天麟1994）。

目連戲中的滑稽小戲當然具有上述二者的功效，但是，這些卻只是它們的附帶作用而已，並非它存在的根本原因。首先，戲中不僅多數場景荒誕不經，對道德規範的嘲弄也遠超過限度，因此若以「寓莊於諧」的諷喻觀點去衡量，顯然容易流於牽強附會；而且目連戲的作者與觀衆多半是農村中未受過教育的庶民，他們能否具有如此高度的道德自覺意識，也是相當值得懷疑的事情。[12]至於第二種視滑稽小戲爲「喜劇調節」的觀點，等於把小戲當作襯托正戲的點綴，然而事實上滑稽戲的插入常常讓人覺得生硬突兀，打斷觀劇的情緒，而非調節作用；並且所占據的份量大有喧賓奪主之勢，正戲反倒只能淪爲陪襯以之串連劇情，譬如〈博施濟衆〉一折中，眞正占據舞台的是一幕又一幕的滑稽表演，而傅相布施行善的本旨反倒被人忽略遺忘。在這種情形之下，我們不得不承認，這些滑稽小戲存在的最大意義，其實就是單純受到民衆們熱烈的喜好歡迎而已，並非是它們背後隱含著道德教化的諷喻，或是能夠達到舒緩正戲的緊張氣氛之用，而觀衆在觀劇之時如癡如狂的興奮與歡樂，其心理感應效力也早已遠非「說法警世」四字所能包容（路應昆1992：63）。

如何正確詮解滑稽小戲的意義呢？無非是把它還原到庶民文化中去考察一途。正如本文緒論將目連戲定位在小傳統的庶民文化之中，而非大傳統的菁英文化；同時它是一種結合民間宗教儀式的「中介」現象，和商業市場取向的「類中介」行爲大不相同（見第二章），故目連戲實超出了我們一般對於中國古典戲劇的

定義範圍。[13]上述「寓莊於諧」及「喜劇調節」的詮釋毋寧比較適用於討論一般在勾欄上演的中國古典戲劇藝術，若以之評量屬於宗教「中介」現象的目連戲，自然容易產生偏差，無法掌握其本質，因此區分「大傳統」與「小傳統」、「中介」與「類中介」，以賦予目連戲恰當的定位便成為首要而且必需的工作。

　　研究目連戲，唯有透過它演出的時空背景——也就是民間宗教儀式來考量，方才能見其根本精神。民間宗教儀式與官方主持的宗教儀式全然不同，二者形成強烈對比：官方的儀式講求的是肅穆嚴謹，所有狂熱氣氛都被排除（韋伯1989：210，李豐楙1992：102）；然而民間宗教儀式卻恰恰相反，無限制的狂歡與享樂正是它的基本特質，故戲棚演出的劇目也只求以通俗熱鬧取勝（王安祈1986：215)，這種力求「熱鬧」的演出方式在張岱《陶庵夢憶‧西湖夢尋》卷六〈目連戲〉記載中可見一般：

> 余蘊叔演武場搭一大臺，選徽州旌陽戲子，剽輕精悍，能相撲跌打者三四十人，搬演目連，凡三日三夜。戲子獻技臺上，如度索舞絙、翻桌翻梯、觔斗蜻蜓、蹬罈蹬臼、跳索跳圈、竄火竄劍之類，大非情理。凡天神地祇、牛頭馬面、鬼母喪門、夜叉羅剎、鋸磨鼎鑊、刀山寒冰、劍樹森羅、鐵城血澥，一似吳道子〈地獄變相〉，為之費紙紮者萬錢，人心惴惴，燈下面皆鬼色。戲中套數，如〈招五方惡鬼〉、〈劉氏逃棚〉等劇，萬餘人齊聲吶喊，熊太守謂是海寇卒至，驚起，差衛官偵問，余叔自往復之，乃安。

目連戲多表演如同上述的「舞叉」、「耍棍」、「拼刀」、「十八吊」等各式各樣危險特技，給予觀眾感官莫大的興奮刺激。而根據胡樸安《中華全國風俗志》「下編」〈涇縣東鄉佞神記‧目

連戲〉記載，在搬演鬼戲時鬼魅台上台下四處奔竄，逼真駭人，觀眾就有因為驚嚇過度而當場昏倒者，可見當時台上台下情緒的激昂沸騰。

然而文人對民間宗教儀式戲曲的狂熱氣氛卻頗不以為然，衛道之士憂心忡忡，紛紛斥責民間宗教為「淫祀」，而戲曲為「淫戲」[14]，清乾隆潘其炯〈艷火行序〉云：

> 演劇非純樸風也，至鄙陋如所謂〈目連〉，則更惑人心。顧曲非閨閣之事也。至相逐耍笑於曠野，則益乘風化。楚俗昔既信鬼，湘人今復善謳。合鬼與謳而一之。于是〈目連〉、〈觀音〉之雜劇出。此其老少奔波，男女雜還，傷風敗俗，舉國欲狂者，數十年于茲矣。已巳秋，演〈目連〉于城東石牛鋪，彩樓高結，俯臨人海，粉白綠黛，帘而聚觀者不下千人。因不戒于火毀。是當時，閨帷弱質，盡顛倒于濃煙烈焰之中；市井狂童，竟狎侮于白日青天之下。其折肢體，焦髮膚，棄其釵釧，烈其衣裳，不知凡幾。有慚而自經者。嗚呼！樂不可極，樂極生哀；欲不可縱，縱欲成災。豈獨為有天下者之規箴也乎！……余以為佳人曾沐。名曰香溪；狂客所燒，呼為妖燭。是火也，保不謂之艷火與？因作〈艷火行〉和之。以為閨秀觀場之鑒。

以為目連戲不僅內容鄙陋，傷風敗俗，甚至也引起社會秩序的動盪脫軌，擾亂治安，故大加撻伐演出的目的雖是在懺罪還願，卻反而增添罪孽[15]，這些批評都顯見文人無法理解庶民在宗教場合中上演「淫戲」的心態。

將庶民的歡娛嬉戲視作傷風敗俗，無疑是文人菁英以道德來衡量的一偏之見。Jhon Fiske（1993：54-119）研究庶民文化時以

為[16]：庶民的活力和潛能正是表現在庶民愉悅（popular pleasure）之上，這一愉悅則可以分成主要兩種形式來表現：一是「閃躲」（或「侮蔑」）（evasion or offensiveness）；另一則是「創造」（productity）。「閃躲」乃指對意識形態的閃躲，也就是文化的約束崩解，而進入到一種無我（loss of self）的自然亢奮的愉悅狀態之中；由於社會規範消解，在此狀態中民眾得享充分發揮的自由，故能進一步「創造」出抵抗宰制階層的庶民文化。Bakhtin（1984）則從個人解放的愉悅擴大到整個社會解放的層面去探討，而提出所謂「嘉年華」式的哄笑（Carnival laughter）（古添洪1993：153），它乃是發生於街頭的群體（all the people）而非個人的脫序與解放行為；其特徵就是笑聲、縱慾過度（特別是身體與身體機能的過度）、低級趣味、敗德以及墮落。透過此種狂歡縱慾的行為，嘉年華不僅歌頌從流行真理、從已建立秩序中的暫時解放，它同時也標誌著對所有階級身份、所有特權、規範以及禁忌的存疑。故Stamm宣稱：「嘉年華」提供了一解除「階級秩序」、「政治操控」、「性壓抑」、「教條主義」等神話的工具，隱含著創造性不合作的態度（Fiske 1993：117）。透過這一行為，庶民事實上獲得的是打破秩序束縛（亦即對意識形態的「閃躲」）、享受奔放自由的愉悅，同時它更足以轉化成反抗宰制威權的「創造」性手段。據此看來，庶民文化的價值就在於它深具進步的潛能，我們可以藉此在庶民經驗中發現改變社會的可能性，以及造成此一改變的動力、活力、生命力（同上引：20）。

二、獲得愉悦的方式：對語言法則的玩弄與瓦解

至於庶民以何種手段來「閃躲」與「創造」呢？語言是人類表達意念的最主要方式，也是接受社會化的起點，所以對既定秩序的抵抗首先就表現在對語言法則的玩弄與瓦解之上，因此，庶民玩弄著不同語言的用法，正猶如是在玩弄著恆常階級與社會差異的縮影（同上引：123）。這種玩弄雖然沒有「教育」的功能，不能傳遞任何知識，但是卻讓人認知到語言（以至於一切既定的社會規範）本身的矛盾（同上引：126）。因此對語言法則的顛覆與玩弄，正是目連戲滑稽小戲除了肢體動作之外[17]的主要表達方式，以藉此來塑造一「荒謬的情境」以及「嘲弄道德」。

扭轉或顛倒語言的意義是常見的玩弄手法。索緒爾（Ferdinand de Saussure)以爲語言只是一指涉事物的「符名」(signifier)，與所指概念、聲音意象的「符實」(signified)之間的關聯並無先驗的或天然的憑據，二者的連接純粹是約定俗成，但使用者卻習焉而不察，因此扭轉顛倒語言意義，就是等於割斷「符名」與「符實」之間的關聯，而凸顯出整個語言結構荒謬的「武斷性」與「任意性」（arbitrary)（高辛勇1987：63-66）。庶民的愉悦正是來自於此，不僅藉由玩弄語言的手法意識到這一隱形的語言結構的存在，並且還能夠進一步加以戲謔顛覆，甚至重新創造出一套屬於庶民的語言法則，而在其中獲得了莫大快感。

滑稽戲中顛倒語意的場景頗多，例如《超輪本目連》〈趕妓〉中丑云身邊常帶「臭蟲」、「虱子」與「虼蚤」這「三樣寶」，把骯髒穢蟲當作是寶物，與我們平常所認知「寶」的意義恰恰相

反，就是典型將語意顛倒的手法。又如皖南本《目連救母》〈請僧超度〉中，丑說和尙「吊香」就是「把一籃香，用繩子吊在樑上」，違反平常我們所認知接受的語意，而賦予「吊香」這個語言另一個嶄新卻又荒誕不合常理的詮釋方式；劇中並且多將鬼稱作「魁不斗」，譬如皖南本〈趙甲打父〉丑扮趙甲，毆打父親云：

> （丑）無知老狗。……我今打死老蒼頭，陽間少一人，陰
> 　　　間添個魁不鬥（斗）。
>
> （外扮趙父）把點我吃吃。
>
> （丑）把點什麼你吃吃？
>
> （外）那魁不鬥，想必是個狗貨，好吃。
>
> （丑）魁字去了個鬥字，是個鬼字，我要你作鬼。

將鬼安上「魁不鬥」（魁不斗）這一陌生的稱呼，而趙父卻以爲是一樣美食，「鬼」與「美食」截然相反的二種意義，遂造成荒謬滑稽的對比。〈公子二何〉中更是借用這種顛倒的手法，來解構經典的權威意義：

> （淨）適纔年伯說道，拿了此銀，必需要戰戰兢兢，本分
> 　　　營生。
>
> （丑）那我曉得，拿了回家，打一把鑽子，鑽幾分用幾分。
>
> （淨）不是這樣講。拿了此銀幣需要如切如磋，如琢如磨。
>
> （丑）這章書，我也曉得講。
>
> （淨）你講來我聽。
>
> （丑）買一部書，打一把刀，把書一切，又一磋，把刀一
> 　　　磨，可不是如切如磋，如琢如磨。………
>
> （淨）必需要文質彬彬，然後君子。
>
> （丑）這章書，我曉得。文質彬彬，見了朋友，打一個拜

　　揖，然後君子，坐下吃東西。

（淨）還是低頭吃水，抬頭長膘。

（丑）那不是畜生？

把「戰戰兢兢」、「如切如搓，如琢如磨」、「文質彬彬，然後君子」等成語以荒謬無稽的方式解說，使人意識到語言文字本身其實並不具有任何必然不可侵犯的權威性格，於是所謂「經典」的神聖光環霎時被消解掉；而對經典荒謬無稽的詮釋則更能提供一經由「侮蔑」到「創造」的快感。

　　「荒謬」一詞就是「不合常理」，也就是出乎一般邏輯思考的習慣之外，因此庶民語言往往拋棄邏輯法則，　改以「聯想式」（associative）法則取代，想像力獲得更自由寬闊的馳騁空間（Fiske 1993：126）。譬如同音字的聯想就是一例，湘劇《目蓮記》〈開殿〉中趙甲把見「王王」(指閻王)聽成去「玩玩」，二者聲音相近所以聯想並列，但是意義卻南轅北轍，毫無邏輯關係可言，這種手法顛覆著重「因果」關係的邏輯語法結構，是庶民藉由玩弄語言以獲得愉悅的基本方式。皖南本《目連救母》〈趙甲打父〉中把「孩兒」叫成「鞋兒」[18]；〈掛幡周濟〉中把傅相修道的「三官堂」聽成「三根糖」，「修道之所」聽成「收稻之所」；或是〈公子游春〉中段公子叫段家「祖宗」前來享用祭品，卻有一雜扮上前應答，自稱「姓祖名宗，故而來了」；或〈追趕四殿〉中閻王把「修善」聽成「挖鰍鱔」，「屠殺」聽成「菩薩」，都是藉著聲音的近似，把兩種意義毫不相干的事物聯想一起。以此嘲弄的對象則不出神鬼、家族倫理、或是道德等神聖威權，藉由顛覆或扭轉社會的秩序與價值體系，來達到滑稽取樂的效果。

　　這種聯想並列的手法也表現在「對偶」的運用上。「對偶」

正是以聯想並列來取代因果邏輯，在文學上「對偶」透過美的事物的聯想並列，來營造出藝術美的境界；然而庶民文化卻恰好與此相反，故意將「醜」與「美」相提並論，譬如以「登虎榜」對「鑽狗洞」，「三層涼傘」對「雙肩布袋」，「三杯美酒餞別」對「一碗冷飯就行」，「風打桂花香馥馥」對「日曝狗屎臭騰騰」（莆仙戲《目連救母》〈劉假變驢〉），或是「祖為尚書」對「孫兒乞丐」（皖南本《目連救母》〈公子二何〉），此類例子不勝枚舉，俱是造成一好一壞，一雅一俗的強烈對比，而醜惡或荒謬的聯想使得原有的美感盡失，社會中既定的審美價值體系遂遭到瓦解。至於歇後語則是運用語意與語音的雙重轉折，譬如〈見女托媒〉中所云「攔胸一刀」「破費」，「麻雀行房」「沒多一點」，「趕麵棍放在橋凳上」「光棍請坐」，「鐃鈸放在凳上」「兩片同榻」，「麻繩下水」「要緊要緊」，「燈草作牌」「放心放心」，「磨房驢子不用鞍」「出在你身上」，「三分銀子買張蘆席」「我就包了你」。這些違背邏輯的聯想使得語言突破原來音義系統的規範，而庶民的愉悅正是從對規範的侮蔑與破壞中產生，享受掙脫規範之後，任意發揮聯想力的自在快樂。

　　著名的〈王婆罵雞〉一折便運用漫無限制的誇張聯想，來達到詼諧逗趣的愉悅。劇中王婆與偷雞賊俞賽珍你一來我一往，連篇累牘地相互謾罵，彼此的應答並無邏輯關係，形同各說各話，而牽扯入一堆與偷雞情節不相關的事物，譬如兩人各自鋪排一長串的「曲牌名」、「生藥名」、「古人名」來鬥嘴，充分表現庶民豐富的想像力以及超越常理的誇張性格。〈李狗上菜〉也運用相同手法，劇中僅僅敘述一道一道菜名及內容，卻不厭其煩，以之為趣[19]；〈李狗賣符〉則極力誇大符保身賜福的功效，並且

用「十八扯」一類的手法，聯想一切與「狗」有關的成語故事如「狗膽包天」、「狗拿耗子」等等，漫天鋪排以推銷賣符，展現語言藝術的技巧，逗人發笑（杜建華1993：159）。這些超出禮教束縛或邏輯常理的誇大聯想，正蘊含著庶民豐沛的創造能力，同時也埋藏著庶民擺脫意識形態控制的頑強生命力。

三、顛倒與錯亂

歸結上述所論，可以發現滑稽小戲中藉由嘲弄來瓦解神聖事物或社會道德，而形成了一個顛倒外界秩序的狂歡世界；並以誇張無度的豐沛聯想力來取代邏輯思考原則，玩弄並解構既存的語言體系，進而創造出一套屬於庶民的論說法則。所以戲中塑造出悖逆常理的荒謬情境以及對道德規範的輕蔑嘲諷，無非都在架構起庶民的「嘉年華」世界，而這一「嘉年華」世界的邏輯正是「內外顛倒」（inside out），並且是「對嘉年華之外的世界的惡意模仿」（Fiske 1993：72），也就是Bakhtin所謂「諧擬」(parody)的運用，它們共通的特質就是都屬於庶民「嘉年華」的趣味(folk carnival humor）（Bakhtin 1984：4）。

故目連戲滑稽小戲中鬼神變成是可親而非可怖的；地獄閻王也不再是高高在上的執法威權，反而以昏庸愚昧的姿態出現；土地婆可以開葷(川劇高腔〈火燒葵花〉)；而醫生只治人病卻不顧人命，甚至還被捉去充當轎夫扛轎[20]；段家公子欲親曹氏的丫環，卻誤親到小丑所扮的家僮來旺，如此情形重複搬演以爲笑樂（皖南本《目連救母》〈見女托媒〉）。歷史人物的形象也遭到顛覆，譬如癩乞丐與瞎乞丐婆模仿「霸王」與「虞姬」分別的場景；而〈丑賜馬〉或〈丑辭曹〉一折將三國戲〈大宴賜馬〉醜化，

關羽和曹操兩人均以丑應工，打扮滑稽狼狽，對白癡呆可笑，還互相爭吵拉扯衣帽。「霸王」、「曹操」、「關羽」都已是歷史上英雄人物的典型，但是這些演出卻惡意模仿並加以扭曲，藉由顛覆人們對「典型」的常識與認知，以獲取愉悅。

劉賈轉世變驢，兒子認出父親後，竟騎著父親變的驢子回家，《超輪本目連》〈打店〉中以丑扮劉賈之子龍寶，打罵驢子道：

> 多少好牲你不變，單單變驢子，出了我的醜。騎我家去。
>
> 將我打跌在地。回家去殺驢子，賣驢湯去了。

子騎父背，不僅地位凌駕其上，莆仙戲《目連救母》〈劉假變驢〉中劉假(賈)之子更以為「靜靜地騎回去太沒有意緒」，故以「一枝提杖來做琵琶」，扮演「王昭君出塞」一齣戲來玩玩。父親變驢本是悲劇，卻以滑稽喜劇丑扮的方式來演出，已經是一個悲喜顛倒的荒謬情境；而兒子騎在父親背上，又是尊卑地位的顛倒；又復以嘻笑態度去模仿「昭君出塞」的悲劇，又塑造出另一重荒謬情境，在這層層悲喜情緒及尊卑地位的顛倒錯亂中，遂構設出庶民文化豐富多重的趣味來。

戲中並大唱「顛倒歌」或「倒事歌」，豫劇《目連救母》〈劉甲逃棚〉中劉甲從地獄逃出，唱道：

> 萬歲皇爺牽人家的牛，文武百官爬牆頭，老公公拉他兒媳婦的腿，他兒打他爹的頭。

以及《超輪本目連》〈倒事〉唱「倒事歌」：

> 自從天地分盤古，上有閻羅下有玉皇，半夜三更出紅日，六月初三下雪霜。霸王十里來埋伏，韓信自刎在烏江。張飛用下拖刀計，貂蟬月下斬雲長。趙五娘上京去求名，蔡伯喈身背琵琶上京城。李三娘職貶朝陽院，劉知遠磨房

> 內，唧哩啞拉生下一個咬臍郎。一個胖子二斤半，兩個矮
> 子三丈長。三個秀才不識字，四個瞎子看文章，五個啞巴
> 能說話，六個聾子聽見了，七個瘸手來扒樹，八個癱子扒
> 粉牆，九個佳人無頭髮，十個癩兒巧梳妝，古來多少顛倒
> 事，顛顛倒倒唱一場。

正是藉由顛倒社會秩序以獲得愉悅的最佳說明。然而這一顛覆既
有秩序的特質與傾向，卻招致官府的恐懼，屢次明令嚴申禁止目
連戲演出，《紹興縣志》卷十八「風俗」附「禁令」十條，其九
曰：

> 禁演唱夜戲，每遇夏季演唱《目連》，婦女雜沓，自夜達
> 旦，其戲更多誖誕。乾隆五十六年出示嚴禁在案。

> （引自徐宏圖1995b：26）

嘉慶《綿州志》卷十八〈風俗〉記載：

> 又碧水崖、西山觀亦各有戲會，距城密邇，仕女如雲，奉
> 督審常飭禁：「民間不許演目連戲，惡其爲日既久，易至
> 聚賭藏奸，危害地方」，又禁酬神廟戲，不得過三日。

> （引自杜建華1993：31）

《培遠堂偶存稿·文檄》卷十四〈陳宏謀禁止賽會斂錢示〉：

> 江西陋習，每屆中元令節，有等游手奸民，借超度鬼類爲
> 名，遍貼黃紙報單，成群結黨，手持緣簿，在于省城內外
> 店舖，逐戶斂收錢文，聚眾砌塔。並紮扮猙獰鬼怪紙像，
> 夜則燃點燈塔，鼓吹喧天，晝則搬演《目連戲文》。又復
> 招引拳棒凶徒，挑刀執叉，比較器械。又于進賢門外繩金
> 塔，亦有斂錢燃點燈塔，以致男女雜沓，觀者如堵，奸盜
> 詐騙，弊端百出。小則鬥毆生事，大則釀成人命，且招火

災。凡此荒誕不經之惡習，不但耗費民財，抑且敗壞風
俗，合亟嚴禁。爲此示抑閤屬軍民人等知悉：爾等慶賀中
原令節，只許在於庵觀祈禳，不得沿街札扮；只許男子入
廟燒香，不許婦女抛頭禮拜；現在所貼黃紙報單，即著地
保扯毀。如有仍前斂錢賽會，燃點燈塔，札扮鬼像，聚衆
街衢，鑼鼓喧鬧，以及搬演《目連》，比較拳棒等事，地
方官及查街兵役，立將爲首之人，拿解枷責，斷不姑寬。

（引自王利器1981：109–110）

《示諭集鈔》〈禁演目連救母記〉甚至還特別聲明不拘演唱何本，
惟獨不可搬演《目連》：

照得演唱《目連》，久奉例禁；蓋以裝神扮鬼，舞刀弄槍，
以此酬神，未能邀福，以此避祟，適致不祥。今聞該地演
唱此戲，合亟出示嚴禁。爲此示仰該地保甲里民人等知
悉：爾等酬神演戲，不拘演唱何本，總不許扮演《目連》，
倘敢故違，立拿保甲戲頭，責懲不恕。

（引自王利器1981：161）

官方文化以及庶民文化遂形成矛盾對立的兩種局面。[21]然而目
連戲如何在官方的壓制下生存？本文第二章曾指出目連戲具有濃
厚道德教化意味，但它如何兼具這些敗德縱慾的滑稽小戲，又不
造成衝突？下節將予以討論。

第三節　滑稽小戲的功能與意義

一、「非常」的時空：
　　「中介性」的過渡儀式

　　目連戲具有宗教「通過儀式」的神聖的特質，爲脫離日常生活之後的「中介狀態」，而形成一逸出「結構」之外的「非結構」，故此時社會原有的秩序、價值規範都被重新提出來檢驗、解釋、批評，甚至摧毀重建（見緒論及第二章）。庶民「嘉年華」的縱慾狂歡便是發生在這一宗教「過渡儀式」所「特許」的時空當中(Fiske 1993：115)，譬如中國正月節慶或是儺儀臘典就是一例，在節慶或祭典期間，「一國人皆爲之狂」（《禮記》〈雜記〉），它的特徵就是男女角色或者社會角色的混淆或對置，以及食與色上的縱慾無度，這種狂歡縱慾不但是一種慶祝、一種休息、同時也期望能達到刺激萬物生長與豐收的目的(王秋桂1990，蕭兵1993)。[22]根據《中華全國風俗志》〈浙江・杭州之淫祀〉記載云：

> 世俗誕妄，眞是匪夷所思。又凡廟中司事之人，杭人名之
> 曰廟鬼，所作所爲，往往戲侮神聖。如關帝手中所執之扇
> 末署款云，雲長二兄大人囑書，愚弟諸葛亮，眞堪發噱。
> 又某年杭郡作沙保會，各廟神像，俱迎聚於西湖瑪瑙寺
> 前，於是諸神持帖互拜，最奇者大士名帖云，愚妹觀世音
> 斂衽拜，尤堪捧腹。

祭典卻以侮神取樂，頗令文人感到匪以所思。故李豐楙(1993)以「常」與「非常」的觀念，來指稱「日常生活」常態與「宗教儀式」狂歡二者的對立，在「非常」的時期中，一切踰矩行爲[23]都被特許，因此廟會演戲往往會出現許多低俗的、諧謔滑稽、或是閒雜打情罵俏的戲碼，甚至以嘲弄的方式諷喻時政。故目連戲結合宗教儀式演出的方式，正賦予它「非常」的「中介性」特質，理所當然會出現大量粗鄙猥褻的滑稽小戲，以傳達庶民狂歡的「嘉年華」精神。

　　Victor Turner 指出：在宗教過渡儀式之中，群眾形成非結構的「共同體」，而掙脫突破了日常「結構」的規範，於是透過這種「結構」和非結構「共同體」兩種連續局面的辯證過程，群眾的情緒在「共同體」中得以宣洩和淨化洗滌，所以社會秩序反而再一次受到肯定，而有鞏固社會規範的作用，大傳統也就因此達到安撫控制小傳統反抗情緒的目的（見第一章第三節）。「結構」與「非結構」，「常」與「非常」的對比，可說正代表著大傳統儒家「禮樂文化」和小傳統「庶民文化」兩種對立卻又可妥協的文化觀：「禮樂文化」講究節制中庸，以建立社會階級秩序；而「庶民文化」則傾向縱慾狂歡，以達到忘我的至樂境界，故「常」與「非常」的輪迴循環，也就等於是「文化」與「自然」二者一張一弛的交替狀態（李豐楙1993）。因而宗教「非常」或反常儀禮其實可以視為對道德價值和社會秩序在允許違背和控制維繫的一種溝通方式，它雖然與社會道德價值或標準背道而馳，但卻具有休閒娛樂、心理宣洩需要[24]、促進社群團結整合、鞏固社會規範、以及達成社會和諧等的功效（阮昌銳1982：185-187）。

　　表面上看來，目連戲宣揚道德教化的主旨和滑稽小戲的淫穢敗德互相衝突矛盾，但事實上二者的功能一致，它們都是維繫社會秩序的手段：對於大傳統而言，目連戲道德教化的主旨可以得到文人或統治階級的認同，是大傳統嘗試從正面去教化小傳統的方式；但對小傳統而言，戲中滑稽小戲的狂歡則可以宣洩長期受社會體制壓抑的反抗情緒，滿足庶民文化中「閃躲」與「創造」的愉悅，如此一來，便有助於大傳統與小傳統的契合以及階級秩序的穩定。就本文所提出的研究模型而言，目連戲在小傳統之中宗教的成分遠超過道德的成分，但在大傳統中則相反，也正顯示

出上述大小傳統偏重不同層面的狀況。

民間宗教廟會滑稽小戲的縱慾猥褻，雖然是「過渡儀式」中嘉年華精神的體現，具有支持大傳統道德秩序的作用，但是 Fiske 也指出，上述社會秩序整合的觀點，視嘉年華爲一種安全瓣措施，使得被統治階層更適應他們的被統治狀態，然而，在某些時刻，它的效果卻是極其顛覆的，假若出現激烈的政治衝突，它也許會成爲觸媒劑及實際與象徵的鬥爭場所。故他說：

> 嘉年華未必總是爆發性的，但爆發的因素總是在那裡，它未必總是進步的或自由的，但進步及自由的潛力總是存在。
>
> （Fiske 1993：117）

這股庶民文化的反抗勢力不容小覷。故目連戲穿雜龐多的雜耍特技、舞刀弄槍，或敗德淫蕩的猥褻演出，不僅只是一種情緒的發洩洗滌而已，它同時也具有轉化成爲起義力量的潛能，李桂海(1992)即指出中國農民戰爭多是利用宗教起義；這也可見宗教戲曲活動引起官方的恐懼，屢次下令加以嚴禁的原因。田仲一成研究中國地方劇的發展構造時也以爲：「貧下層民主導市場演劇」的戲曲類型，具有強烈反地主、反體制的色彩，有關忠孝、節義、功名等劇目大量減少，而豪俠類（如《三國》、《水滸》等造反武劇）以及仙佛類的劇目(包括神怪類)(如《西遊記》《鍾馗》)卻大量增加，呈現具有與抗議集衆和宗教性祕密結社相結的特性（田仲一成1981）。[25]小傳統中的目連戲正具有如此傾向，舉凡神怪類的《西遊》、《封神》、《香山》，或是豪俠類造反武劇的《梁傳》，以及減少道德教化、增加各類刀叉槍箭雜耍特技及科諢戲謔等滑稽小戲，都暗示其中孕育著一股不容忽視的潛在的庶民抗爭力。

二、狂歡是中國戲劇的原始特質

　　興奮乃是宗教觀念之源（涂爾幹1992：251）[26]，故迎神賽會中滑稽小戲的縱慾狂歡可說就是這種宗教精神的具體表現。龍彼得（1985）亦指出：中國「淫戲」與「淫祀」往往相提並論，而民間宗教慶典百戲的基本特色就是「淫猥」；故百戲搬演的目的並不是在敘說故事，而是在營造出一個滑稽的場面，以表現歡樂。如果根據戲劇源於宗教祭典的說法而論[27]，那麼，這一「嘉年華」的庶民狂歡應該就是戲劇的原始精神，也就是出自於先民耕獵之餘，在一張一弛的生活形態下，以「社」為中心而集體創作出的庶民文化（唐文標1985：14）。

　　與宗教或祭祀活動結合的驅「儺」儀式，乃是迎神賽會中民間小戲的雛型（張紫晨1989：45-49），歡娛狂熱則是它們二者共通相承的精神。《周禮》〈夏官·方相氏〉記載儺儀云：

> 方相氏掌蒙熊皮，黃金四目，玄衣朱裳，執戈揚盾，帥百隸而時難（儺），以索室毆疫。

《續漢書》〈禮儀志中〉云：

> 季冬之月，星迴歲終，陰陽以交，勞農享大臘。先臘一日，大儺。……因作方相與十二獸舞，讙呼，周遍前後省三過，持炬火，送疫出端門。

記載雖然簡略，但是從方相氏的打扮以及對驅儺逐疫過程的描寫，都可見儀式中眾人情緒的狂熱沸騰。《魏書》〈高祖紀〉詔文曰：

> 女巫妖覡，淫進非禮，殺生鼓舞，倡優媟狎，豈所以尊明神，敬聖道者也。

以及《隋書》〈柳彧傳〉敘述正月宗教祭祀活動「以穢謾為歡娛，

用鄙褻為笑樂」，或「奇伎異藝，險怪驚人」；或是《鹽鐵論》中記載西漢風俗，「因人之喪，以求酒肉，至於歌舞俳優，連笑伎戲」；或唐《聞見記》中記載殯禮中「恣玩傀儡，喪主收淚觀賞，不知哀戚」，都與今日宗教祭祀或喪葬的情形十分類似，可見自古至今「狂歡」是民間宗教場合中基本的精神特質。[28]

歡娛也是中國戲劇一脈相傳的特色，任半塘以「弄」一字形容唐代戲劇（任半塘1985：10）。曾師永義（1988a，1988b，1988c，1992)則指出，從漢代「東海黃公」的「角觝戲」、三國時「遼東妖婦」、唐代「踏謠娘」、「參軍戲」一脈相承下來，均未脫離滑稽小戲中嬉戲淫褻的特質，不僅旨在滑稽的參軍戲與後代插科打諢有密切關係，連宋雜劇、金院本的本質都是「務在滑稽」，《說苑》卷五引黃山谷語：

作詩如作雜劇，初時布置，臨了須打諢。

以「須」字點出「打諢」的重要性；而參軍戲的嫡派「院本」也並未因為南戲北雜劇的成立而消失，它或者成為南戲北劇中的「插科打諢」，或者保留在地方戲如秧歌、燈戲等等，因此滑稽戲謔小戲的生命力其實十分堅韌豐沛，根源而依附在中華民族的心靈血脈之中，歷朝歷代綿延無盡，不曾斷絕。

目連戲被公認為中國戲劇的「活化石」，是以學者也多從目連戲所保留大量滑稽小戲的部分，來追索古代戲劇的遺跡，譬如泉州目連傀儡戲〈雷有聲打虎〉使人聯想到漢代「東海黃公」的演出（龍彼得1993：21）；而目連戲中一問一答、一逗一捧的打諢方式則與古代參軍戲一脈相承（柯子銘1991：103）。學者並指出如〈過孤淒埂〉一折中夭使的打扮，與北宋宮本雜劇《眼藥酸》極為類似，乞丐、劉賈等市井惡民的插科打諢則類似宋雜劇中的蒼

鵠（陳紀聯1990：96，毛禮鎂1991：27），而舞台上的百戲雜藝，可能正是北宋雜劇的遺風（董每戡1995：51），故目連戲大致保留了雜劇形象裝扮、　雜劇表演藝術、　雜劇音樂曲調這三方面（葉明生1990：84-86）。至於異常特殊的啞目連演出方式，則與宋代啞雜劇必定有關。[29]目連戲並有「南戲之母」的稱呼，它調侃戲謔、充滿嘻笑怒罵的演出方式，都接近南戲古老原始的形式（葉明生1991：88，柯如寬1990：131），如此說來，鄭本《戲文》所無的〈僧尼會〉、〈王婆罵雞〉、或劉賈、李狗等淨丑插科打諢的演出，可能不是出自地方戲對鄭本加添枝葉，而是鄭之珍基於道德教化的理由，把這些既有的滑稽小戲刪去的結果，所以它們反而應爲古老的原始戲劇陳跡。[30]

　　在遠古時代，神巫舞蹈歌唱究竟怎樣引導出戲劇來的呢？中國由祭祀到戲劇(如元雜劇)之中似乎存有著一大段歷史空白（唐文標1985：159）。[31]任光偉（1992：261）也指出中國戲曲只有孕育期與成熟期，而缺少一個發展向成熟戲曲過渡的階段。至於目連戲能否說明這一段空白的過渡階段呢？這問題雖尚待進一步探討，但是就譚達先（1988：12）對原始戲劇和後代專業戲劇的區分，以爲原始戲劇是一種反應群體思想、感情願望的集體藝術；而後代專業戲劇則是爲了城市裡占有一定勢力的市民階層服務，屬於個人藝術。這種分別與Victor　Turner對「中介」與「類中介」現象的區分有著異曲同工之妙，故屬於集體的、「中介性」的目連戲應該十分接近原始戲劇的精神，具有中國戲劇「活化石」的價值。

　　綜合本章所述，民間宗教場合上演的目連戲具有「過渡儀式」的「中介性」特質，是一段特許的庶民「嘉年華」縱慾狂歡的時

空，所以劇中夾雜大量滑稽小戲的演出，不僅內容充滿荒謬無稽的情境，也嘲弄蔑視社會既有的道德與價值體系，而民眾藉此由平日生活的「常」，進入到這秩序顛倒錯亂的「非常」世界之中，享受釋放解脫的自由快感，遭受壓抑的慾望與情緒因而都獲得宣洩、洗滌。這非但是社會秩序整合的手段，大傳統得以再度控制穩定小傳統的反抗情緒；也同時暗示出庶民豐沛的生命力極具顛覆的可能性，甚至足以成為改革社會進步的推動力，而這正是庶民文化的價值所在。就戲劇起源而論，目連戲中的滑稽小戲與古老的參軍戲、宋雜劇、南戲都極為類似，為中國戲劇原始共通的精神，具有戲劇「活化石」的價值，因此目連戲可能可以說明中國戲劇由「孕育期」邁向「成熟期」的過渡階段，值得我們進一步深入地考證與探究。

【註釋】

[1] 在雜劇或傳奇之中雖亦夾雜插科打諢的場面，但是往往只作為演出的調劑，所占據的份量與目連戲連篇累牘的科諢不能相提並論，而目連戲的科諢場面甚至常可獨立出來成為一齣小戲，譬如〈王婆罵雞〉、〈下山〉、〈戲閻羅〉等等。

[2]〈劉氏四娘哭嫁〉和〈劉氏回煞〉一樣都是儺壇的特殊劇目，故原始宗教的意味格外濃厚。劇本整理者劉新堯(1993)指出：〈劉氏四娘哭嫁〉荒誕粗野，有濃厚原始性意識，所以城鎮慶壇法事禁用此劇跳儺，惟獨農村泛用不捨。杜建華（1993：231-233）以為此齣是宗教觀念異化，走上「世俗化傾向」的現象，但是筆者卻持相反的觀點，從城市不演，惟獨偏遠農村演出的情形來看，此齣戲應是保留質樸原始的演出風貌，並未受世俗的污染變質；並且根據《金枝》（弗雷澤1991：207-213）一書

指出，未開化的種族有意識地採用兩性交媾的手法，認爲可以感應植物的生長，而確保大地豐產。故宗教儀式中放縱性的意識，應該是原始精神的顯現，而非出於世俗化的結果。

[3]人神鬼的戲弄往來，是宗教中脫離世俗的神聖特徵，詳見第二章第三節分析。

[4]〈戲閻羅〉又稱〈拉謊過殿〉或〈千層皮〉，鄭本與張本《目連》俱無，但卻是川劇常演的劇目，甚至常作單折演出，不僅諷喻現實，也表示對神權的輕視（杜建華1993：159-162），與其他滑稽小戲比較起來，它對現實社會的反叛與嘲弄可說特別清晰明顯，似有文人刻意操作的痕跡，而不像一般小戲粗鄙無文。

[5]各地齣名不一，紹興《救母記》爲〈假霸〉，皖南本《目連救母》爲〈討飯打罐〉，超輪本《目連》則爲〈搭罐〉，夫婦兩人互相取笑貶損對方的殘疾之處，以製造滑稽逗趣的喜劇效果。此折鄭本《戲文》雖無，卻爲民間滑稽小戲中重要的演出。

[6]例如杜建華（1993：82）以爲〈博施濟衆〉一折「誇張暴露殘疾人的病態，缺乏美感」。然而目連戲滑稽小戲幾乎無不以誇張人的愚昧、殘疾、或慾望爲樂，這是庶民趣味的所在，本章以下將會討論其背後意義，「缺乏美感」可能僅爲文人一偏之見。

[7]〈下山〉雖然被認爲有害風化，但卻廣受歡迎，而尼姑和尚下地獄受懲罰的情節反而往往遭到刪去或忽略，譬如〈尼姑下山〉一折在崑曲爲《思凡》，自成獨立戲碼演出；或如湖南目連戲也刪去陰司受罪的部分（文憶萱1984），均將重心至於描寫奔放的情慾之上。

[8]此折多地目連戲均出現，如皖南本《目連救母》〈公子二何〉、或紹興《救母記》〈濟貧〉中丑、付兩乞丐兄弟都有類似演出，茲舉《超輪本目連》〈何家〉對道德與家族觀念的嘲弄爲例：

（淨）你頭上帶的什麼？

（丑）乃是巾子。

（淨）巾子上面有四個角，角上有四個大字，禮義廉恥。

（丑）我不相信。

（淨）除下來看看。

（丑）我只巾子破了兩只角，只有禮義義禮，沒有廉恥。我去的。

（淨）五長老哥哥知道了，不准你進祠堂。

（丑）到廟宇。

（淨）發了財，沒有人家與你對親。

（丑）到江北討大腳婆娘。

（淨）祖宗要哭。

（丑）哪怕哭瞎了眼睛。

[9]學者雖然多主張滑稽丑角具有諷喻教誨的功效，譬如參軍戲旨在「箴諷時政」（洪邁《夷堅志》）等，然而曾師永義也指出參軍戲中「不乏純為笑樂」者(1992：33)。因此筆者以為歷來記載之所以偏重戲劇的「諷諫」功效，乃是因為出於文人之手，故比較忽略戲劇娛樂庶民的一面。如目連戲中小戲鄙俗縱慾的程度，實在令人難以感受到諷喻教化的意味。而皖南本《目連救母》《追解二殿》鬼命令通姦殺夫的李丁香勸化世人，顯然也把教化一事拿來取笑，並非鄭重看待：

（鬼）……勸化世人。

（貼）不知道。

（鬼）妳說：陽世之人不要學我李丁香，在陽間與人通姦謀死親夫，來到陰司裡放在錐裡舂成粉。

（貼）陽世之人，一個個都要學我。

（鬼）一個個俱要學妳？那好了。一個男子漢都沒有了。

[10]李元貞（1987）以為中國傳統喜劇在笑中鞭撻惡人，但是在全劇的喜劇傾向之餘，仍然不會破壞忠孝節義的傳統格局，故具諷刺功用。張紫晨（1989：88-108）則將民間小戲分成為生活喜劇、抒情喜劇、以及諷刺喜劇這三者，前二者是藉由抒發質樸的庶民情感，大膽剖白，使人能得到愉快幸福的享受；而諷刺喜劇為最重要的一種，使人在笑聲中接受劇中的思想主題，並從而否定批判可鄙可惡的事物，具有深刻的道德力量以及明顯覺醒意識；因此民間小戲正兼顧娛樂作用與知識作用（同上引：22）。李懷蓀（1989：43-44）便認為目連戲「寓莊於諧」，在笑聲中包含著明確的批判態度和否定的評價；杜建華（1993：161）也以為目連戲反映黑暗社會中醜陋的生活現實和畸形的人際關係。這些論點過於強化諷喻教化的層面，反而忽略庶民以之取樂的趣味，故本文以下將從庶民愉悅的觀點出發去討論。

[11]學者以為滑稽小戲可以調節舞台氣氛，文野駁雜，雅俗交錯（黃錫鈞1990：146-147），對生旦的正劇或悲劇起一定的調節作用，也對處於祭祀氛圍陰森可怖的關目或是場景起淡化的作用，而且正是這方面戲劇美因素，才構成南戲的美學特徵（葉明生1990：83）。同時亦可避免觀眾無法承受悲切緊張的演出（方曉慧1993：279），並且使陰森恐怖的氣氛得以緩釋，喜樂情趣油然而生，舒緩舞台演出節奏以及觀眾心理節奏（杜建華1993：154）。然而目連戲並非舞台藝術演出，依據歷來記載顯示，事實上它追求的正是一種無限狂熱的真實氣氛，故緩和調節情緒的說法似乎難以成立，以下將會特別討論這種庶民狂歡的精神。

[12]李懷蓀（1992a：31）指出，鄭本《目連》雖對〈下山〉中的和尚尼姑持鞭撻的態度，但在辰河高腔中卻對他們充滿歌頌與同情，並對於劇中道德頗多不以為然的無情嘲諷，譬如演出時通常貼著的對聯云：

大孝本庸行，曾子養，舜王耕，未聞地獄尋親，這個羅卜真古怪。食

　　鞏尋常事，呂雉惡，武瞾淫，哪見山頭受苦？昔日閻君太糊塗。

　　可見對於廣大庶民而言，這些滑稽小戲並不見得具有如此強烈的道德教化意味，民衆自有他們一套詮釋的方式。

[13] 曾師永義（1975：37-39）指出若以戲班的組成來說，中國戲劇可以分爲三大類：一是宮廷內府承應的戲班，二是以營利爲目的而組成的戲班、三是豪門貴族私人所設置的家樂；至於「喪殯演戲」和「齋戒日期並祈雨齋戒及祭日演戲」則非善良風俗所能容。顯然，目連戲就是在一般觀念之外的第四類戲劇。它與儺戲都是一種庶民通俗文化的產物；尤其給那些付不起搭台演大棚戲的貧家大衆觀賞（龍彼得1992：55），故不作商業演出。江西儺舞當地的大姓（統治者、大官、地主）不跳，小姓或雜姓（被壓迫者、奴隸、勞動人民）才跳，所以儺舞是勞動人民創造出來的 一屬於自己的產物（盛婕1993：4），故與儺戲相同性質的目連戲也非一般在勾欄上演的古典戲劇，而是宗教場合中一純粹庶民的娛樂。

[14] 應劭《風俗通義》卷八〈祀典〉：

　　論語：「非其鬼而祭之，諂也。」，又曰「淫祀無福」，是以泰山不享季氏之旅，而《易》美西鄰之禴祭，蓋重祀不貴牲，敬實而不求華也。

　　對民間「淫祀」頗不以爲然。而迎神賽會所演之戲，也被視爲「淫戲」，遭文士口誅筆伐，如陳淳「上傳寺丞論淫戲」云：

　　某竊以此邦（漳州）陋俗，當秋收之後，優人互湊鄉保作淫戲，號乞冬。群不逞少年，逸結集浮浪無圖數十羣，共相唱率，號日戲頭。遂家裒斂錢物，拳俊人作戲或弄傀儡，築柵於居民叢萃之第，四通八達之郊，以廣會觀者。至市塵近地，四門之外，亦爭爲之不顧忌。今秋七八月以來，鄉下諸村，正當其時，此風正爲滋熾。

　　或陳龍正《幾亭全書》卷二十四〈同善會講話〉：

如今迎神賽會一節，乖人曉得借名取樂。……豈有神明愛出巡遊，貪看淫戲？一切奸情劫盜殺人之事，每每從迎會時做出來，……只因其間有包頭數人，常從中取利，挨家斂分，小民從風而靡。

[15]《示諭集鈔》〈禁《目連戲》示〉以為演出目連戲「以此酬神神，未能邀福，以此避祟，適致不祥」（引自王利器1981：161）；清劉開兆《薈弇詩集》卷八〈消夏雜詩〉亦云：

戲索緣橦事偶然，近來處處《目犍連》；卻因懺罪翻添罪，墮履遺鈿亦可憐（演《大目連戲》，必三日夜，有盤彩竿木等技，婦女往觀，放橦生事者，往往有之）（引自王利器1981：276）

[16]John Fiske（1993：20）以為庶民文化研究有三種路徑：第一是將其視為社會差異的禮儀規範；第二是將庶民視作由文化工廠所創造出來的一群溫馴、消極、服從的良民，這些人背離原來的階級意識，而被收編入社會主流意識形態之中，是不自覺其文化歸屬的可憐者；第三種則是本文所借助的研究角度。第一種方式是主流文化的偏見，第二種研究對象則應該是工商業社會「大眾文化」的現象。目連戲出自農業社會，未受商業以及大眾傳播媒介的污染，受到大傳統宰制收編的可能性也就相形減弱許多，故更能顯現出庶民的創造力與生命力」。

[17]藉由肢體動作來顛覆既有秩序及規範的明顯例子有啞目連，純粹依靠動作來演出人鬼相互戲弄；或是〈李狗盜袍〉中李狗欺負觀音；或是〈見女〉公子與男僕親嘴；或是一切耍弄驚險的滑稽雜技演出，都是對日常習慣或行為的顛倒扭轉與陌生化。

[18]這一幕喜劇具有多重嘲諷意義，皖南本《目連救母》〈趙甲打父〉丑扮趙甲毆打父親，有如下對話：

（外）鞋兒聽到。

（丑）住了，是孩兒。

（外）鞋兒。

（丑）孩兒穿的鞋，就爲鞋，這叫孩。

（外）孩，這個字好難咬。

劇中兒子倒過來毆打父親，但父親則藉由「鞋」的稱呼，以語言反將兒子地位貶抑，並說道「孩」字難咬，暗示出父子之間的緊張關係。趣味便產生於語言一再地顛覆玩弄彼此的地位之中。

[19]如川劇高腔〈李狗上茱〉一折，由李狗依次唱出茱名，如椒鹽花生、櫻桃、酥肉、火腿、清蒸什錦雜燴、江魚、涼拌雞肉、對鑲肘子等等，與劉氏一唱一和。這與廟會慶典中庶民放肆的大吃大喝，擺宴請客實有異曲同工之妙，是庶民在節日期間暴飲暴食的縱慾表現，具有模擬巫術期望帶來豐收的含義（蕭兵1993：51），詳見下節分析。

[20]地方戲中醫生成爲一個重要丑角，如紹興《救母記》〈請醫〉中郎中醫治劉氏，卻做出種種荒謬可笑的診斷，如下引：

（外扮郎中）脈息沈沈，此病看來有十分。請幾個泥水木匠，乒乒乒乓忙敲棺材釘。

（生扮羅卜）先生，這是手背。

（外）那啥？是手背？掉轉來。大笑三聲，錯診手背。慌他怎甚？

（生）先生，這是什麼病？

（外）待我來猜猜看。莫不是遺精白濁？

（生）先生，這是婦人。

（外）那啥？是婦人？嗄！來哩著。敢只是產後驚風？

（生）安人老了，員外亡故了。

（外）那啥？安人老了？員外亡故者？嗄！是哉！正正害殺了相思病。

（生）呸！不是話了。

《超輪本目連》更有〈請張先生〉與〈焦先生扛轎〉二折，一爲陽間醫

生，一為陰間，但是都一般昏庸可笑，草菅人命。

[21] 張庚、郭漢城（1984：223-225）以為目連戲宣揚忠孝節義等封建道德，但是由於吸收了民間藝術，故有〈尼姑思凡〉〈和尚下山〉等與宿命論採對抗的情節，表達積極鬥爭精神，是目連戲中的精華。周貽白（1982）以為民間戲劇雖因幫閒文人的伸手其間，而流入說教的成分，不過，民間戲劇的發展決不循著說教的路子而前進，而是另取一種形式與之進行鬥爭。結果，統治者的娛樂品只有趨於死亡，民間戲劇卻逐漸完成其新的形式，進而更為壯大起來。這兩種說法指出目連戲中大傳統官方文化與小傳統庶民文化的對立，但庶民文化反抗精神應多出自潛意識慾望的宣洩，而少刻意的積極「鬥爭」。

[22] 例如湖北地區「跳喪鼓」活動中有歌頌性愛和生殖的內容，或是布依族喪葬活動中表演假面歌舞或是啞劇，儀式中出現男女情愛、婚媾、生子的關目（蕭兵1993：51-52），甚至前文所述台灣喪葬儀式目連戲大開葷腔的演出，都是在死亡這一「過渡儀式」之中，藉由歌頌性愛與生殖的內容，來通過這生與死的轉折點，以突出繁衍生命的旺盛活力。所以在喪葬儀式中上演滑稽小戲，除了可撫慰喪家的情緒之外，更重要的應該是在這一「過渡儀式」中再度點燃生命的慾望與喜悅，以從悲痛裡培養出一股樂觀的新生勇氣。

[23] 在新春節慶中官方特別容許庶民作各式與道德衝突的踰矩行為，譬如廟會狎褻小戲的公開表演，或是社祭大吃大喝的浪費，或是廟會的男女野合，或是偷俗、偷戲等等，都是平日社會所不容許的行為，但此刻則以一種「過渡儀式」或「轉換儀式」的縱慾姿態出現（王秋桂1990：9，龍彼得1985，李豐楙1993），甚至今日電子琴花車的演出也可以此觀點審視（李豐楙1993）。至於民間拼陣的表演，則將個人或社群間的摩擦競爭，化為公開場合中團體性的技藝競賽（黃美英1985：39），譬如辰河

浦市鐵廠老板盛行以演出目連戲的方式，來彼此競爭，互相加唱，比看誰唱得久（李懷蓀1993：71），或是1928年宜賓縣搬演目連長達一年之久，就是川南軍閥之間互相爭霸示威的結果（嚴樹培1993：62）。

[24]李亦園（1992b）以為乩童所以能大行其道，就是因為往往把生病原因歸於是親屬成員因為權利義務所引起的糾紛，使得社會所不允許的對親屬不滿情緒得以宣洩。這與目連戲中諧謔部分對父親的謾罵、對道德的嘲弄類似，也可說明目連戲受庶民歡迎的原因。

[25]田仲一成將演劇主題作層級的分解如下：大地主系戲曲為忠孝類、節義類及功名類；中小地主系為風情類（新傳奇）及仙佛類（神仙劇）；商人系為風情類(淫戲)；貧下層民則為豪俠類（造反武劇）及仙佛類（神怪劇）。王安祈（1986：189）指出勾欄、祠廟、廣場戲棚表演，經常演出通俗、排場熱鬧、宗教性濃、曲文質樸、及風月淫穢的劇目，而在富紳豪門、文士大夫的家宅之中，戲劇演出則展現另一種風格，有才子佳人典麗詞藻者，有吉祥慶賀者，唯一不見如歷史劇的三國演義、楊家將等武俠劇。可見偏好造反武劇是庶民戲劇的特色。

[26]涂爾幹（1992：248）指出澳大利亞社會的生活經歷兩段不同時期，有時人群分裂各自生活，有時則集中聚會在指定地點，舉行大集合的宗教典禮，此二者形成鮮明對照。前者以經濟生活為主，感情強度適中；後者則失去自制，情緒處在極度亢奮激動之中。這與本文所指「常」與「非常」的分別如出一轍。

[27]王國維、龍彼得（ 1985 ）均以為中國戲劇源於宗教儀式祭典，此處所指戲劇應是與儀式結合不分的原始形式，故曾師永義（1988a）以為成熟的中國古典戲劇應該是綜合多元因素而形成的。唐文標（1985：159）亦云「中國古劇是一大雜湊」，但是卻以為「中國戲劇的出現源於閒暇的文化要求，而非如希臘、印度那種源流於祭典和入會儀式所演變的，因

此它是娛樂性大於宗教教育性」（同上引：139），這種說法卻頗值得存疑，如本章所指原始戲劇的根本精神起源自宗教場合，而中國與希臘印度的不同是因為宗教精神的不同，所以才沒有發展成如希臘印度的宗教劇。

[28]民間宗教場合的歡娛的特質甚至持續至今日，如《民國年間貴州未刊縣志資料十二種》第四冊《岑鞏縣地方概況調查表》：

> 冬臘月間，有諸巫師酬還樂（儺）願者，巫師戴上假面具，扮為琴童八郎、開山大將、僬風娘子、梁山大地等，任意詼諧，故稱樂（儺）願為喜神願。（引自楊啓孝1993：211）

將儺願視為喜神願，可見歡娛的特色，《平越直隸州志》卷五〈地理八·風俗〉《遵義府志》亦以演戲在「詼諧嘲弄」：

> 俗以歌舞祀三聖，曰陽戲。三聖，川主、土主、藥王也。每災病力能禱者，則書願帖祝於神，許酬陽戲。祭許，後驗否必酬之，或數月或數年預潔羊豕酒，擇吉招巫優即於家，歌舞以娛神。獻生獻熟，必誠必謹，餘皆詼諧嘲弄，觀者哄堂，至勾願送神而畢。即以祭物燕樂親友，時以夜為常（同上引：215）

[29]孟元老《東京夢華錄》卷七〈駕登寶津樓諸軍呈百戲〉記載：

> 記有二三瘦瘠，以粉塗身，金睛白面如骷髏撞，繫錦繡圍肚看待，手執軟杖，各作詼諧，趨蹌舉止若排戲，謂之啞雜劇。

也是一種只演不唱念的表演，裝扮亦與啞目連中所扮鬼物最為相近（羅萍1984：251）。

[30]陳紀聯（1990：98）以為莆仙《目連》演出夾雜許多市井淫媟浪語，是金雜劇和早期南戲為了迎合新興市民的欣賞趣味的結果。然而若根據本文所論來看，這些淫媟浪語的部分質樸猥褻，可能才是庶民戲劇最原始風貌，而非為迎合新興城市居民的趣味所加。

[31]根據楊孟衡（1994）對《迎神賽社禮節傳簿四十曲宮調》考據，以為許
多湮沒已久的古代歌舞雜戲說唱藝術，都沈澱在山西民間的迎神賽社之
中，可見戲劇與迎神賽社宗教活動的密切關連。他並指出古賽藝術，如
晉南鑼鼓雜戲、上黨隊戲、雁北賽戲等等，可能就是連接目連變文與後
代目連戲的一個歷史性的連鎖環節。故這些迎神賽戲應該可以作為探討
由祭祀轉入戲劇過程的良好標本。

第五章　結　　論

一、總　結

　　首先再度回顧本文提出的研究模型，以說明目連戲中宗教與道德二者在大傳統與小傳統之間的演變，以及彼此間的關係：

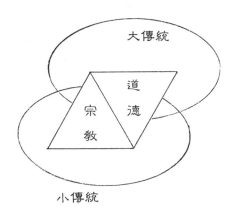

　　「宗教」與「道德」分離是中國文化有別於西方文化的顯著特色，梁漱溟（1982）所說「以道德代宗教」和「中國人無宗教」意即在此。在中國道德是由儒家來完成，所以大傳統的知識分子盡心以求知天，以儒家入世的人文精神為標竿，修身齊家治國平天下，故無須再假藉宗教的力量，此乃「中國文化之早熟」。因而在大傳統中宗教並不受到重視，至於佛教道教等只是作為儒家主流文化的補結構，乃知識分子在現實受挫之餘的慰藉品。但是梁漱溟也同時指出中國文化早熟的弊病，由於理性人文精神成熟過早，

然而彼時社會卻尙未發展到可與此精神相配合的高度，所以儒家的人文理想無法落實在現實世界中，反而造成道德僵化的現象。小傳統的「儒教中國」正顯露出道德空泛的弊病，由於庶民無法企及儒家高度發展的人文精神，道德遂流於空洞化、形式化的教條，大異孔、孟「儒家傳統」的旨意。在這種情形下，庶民不得不轉向宗教以尋求心靈寄託，但又因爲宗教與道德分離，民間宗教遂停滯於近似原始巫術的階段，變成驅邪祈福的形式化行爲，著重於功利性、實用性的價值，而缺乏對人生和超自然世界的思考探索。所謂「中國人無宗教」，便是指中國人缺乏一種出世的宗教情操，至於民間宗教則是一種「混合宗教」，吸取儒家倫理道德而具有濃厚的入世性格。在目連戲中，鄭之珍所作《目連救母勸善戲文》強調道德教化的重要性；而民間目連戲則結合宗教儀式演出，目的在於驅邪祈福，可知大小傳統側重不同層面的差異至爲清楚。

由「宗教」子系統來看，目連戲結合民間宗教儀式演出，充滿禁忌，具有濃厚的宗教神聖特質，遂與一般傳統戲曲有顯著的差異。它是一種「中介性」的集體行爲，依照時間季節的循環作定期演出(如每年中元節)；至於一般傳統戲曲則屬於舞台上以商業演出爲目的，訴諸個人喜好口味的「類中介」藝術，故二者性質不同，不容混淆。「中介性」行爲反映的是人民潛在的集體意識，同時與社會演變的過程息息相關，是社會由混亂過渡到整合的關鍵點，在這個「過渡儀式」的階段中，社會正常秩序的束縛力瓦解，而形成一逸出結構之外的非結構「共同體」，在此中庶民群眾的活力便得以完全的釋放出來，而進入到一個與平日生活不同的「非常」狀態之中。因此民間目連戲夾雜大量滑稽小戲，

插科打諢連篇，並穿插各式驚險的雜耍特技，充滿戲謔、嘻笑的庶民「嘉年華」精神。這種道德秩序解放的「非常」時期，與平日的「常」形成「一張一弛」的調劑循環，就消極層面而言，庶民大眾長久被壓抑的情緒藉此獲得宣洩，反而具有再度鞏固社會秩序的功效；就積極意義而言，這種庶民「嘉年華」精神極具顛覆性與創造力，可以轉化為推動社會進步的力量與藝術的萌芽。根據戲劇起源於宗教的觀點，與宗教儀式密切結合的目連戲，無疑保有原始戲劇的精神，可以作為討論戲劇發展進程的良好標本。

「道德」是目連戲另一子系統，儒家倫理為其綱領，以「父子倫」為主軸去向外擴充一切人際關係，乃是道德分殊主義形成的「差序格局」。由於所有道德都依照界定「父子倫」的孝道模式去開展，所以目連戲中忠、孝、節、義其實都是孝道的延伸演化，本質並無二致。「父子倫」形成上下階層關係，特點在於講究在下者對在上者的服從與義務，以維繫階級秩序的和諧穩定，但同時也造成在上者絕對威權的產生。至於女性在此體系中則屈居次要的陪襯地位，所以劉氏墮入地獄，飽受血湖原罪的苦難，而目連入獄超度母親，事實上正點出女性在父系道德體制的壓抑下，需要透過子嗣，方才有被救贖的可能性。

儒家具有強烈的入世性格，所以對功名利祿的競爭抱持肯定的態度，但為維繫社會秩序的穩定，此競爭必需在現實世界所架設好的軌道中進行。故目連戲中道德的修煉與功名利祿的取得幾乎是一體兩面之事，以公侯將相為上等人，財主員外為中等人，下等人為乞丐者流，道德體系與官僚體系混融不分，甚至以功名利祿等現實的回報來誘人向善修道。但積善如何保證可以得到功名利祿的回報呢？宗教在此提供了超現實力量的支持，成為與道

德相結合的關鍵點。宗教以善惡果報及生命輪迴的觀念，解釋人世中一切不合理現象，不僅使人安於現實的生活秩序，更可以使人樂於向善積德以求福報，進而達到勸善懲惡的功效。

爲何選擇道德教化意味如此濃厚的目連戲在宗教場合上演呢？道德與宗教二者的結合有何意義？目連戲中若只宣揚道德教化，則無以勸民衆主動遵行，若只有宗教成分，則無從鞏固中國社會家族倫理制度，因而宗教與倫理道德的緊密結合，可以促進大小傳統相互扣連，也顯示出大傳統對於小傳統控制的嚴密，是以民間宗教迎神賽會的祭典雖然具有「嘉年華」顛覆狂歡的精神，但在強勢的道德教化控制下，未曾進一步發展到足以瓦解現行體制的革命性力量。由此可以看出，作爲宗教與道德結合體的目連戲，其實具有強大整合社會秩序的功能，它不僅可以藉由「神道設教」方式，來傳達大傳統道德教化的企圖；同時它也是小傳統中庶民情緒的良好宣洩與調節。

二、目連戲的功能

從實際演出的情況，更能印證上述目連戲具有強化大小傳統連結，整合社會秩序功能的觀點。目連戲演出的場合大致可以分爲三種類型：第一，配合神明誕辰或是中元節盂蘭盆會等節日祭典定期演出，譬如徐宏圖（1995a）調查浙江東陽市馬宅鎮孔村目連戲，就是在二月十九日觀音大士誕辰演出，至於中元節盂蘭盆會，更是目連戲主要演出的場合，但不論神明誕辰或盂蘭盆會，都以舉行超度亡魂的功德道場爲主，如超度男性喪者的「白鶴駕霧功德道場」以及女性喪者的「蓮花駕霧功德道場」（同上引）。第二，在喪葬儀式中搬演目連戲以超度亡魂。這與第一種情形類

似，所不同者只是第一類以村落爲單位，而第二類則規模較小，以家族爲單位，所以第一類屬於全村的過渡儀式，第二類則出現在家族有重大變故時，經過喪禮的「轉換儀式」（或「過渡儀式」），確定家族成員權利義務的繼承、調整、與轉移（呂理政1990：210）。第三，當地方發生災難或是重大傷亡時就會演出目連，如蔡豐明（1993：269）通過對紹興地區的調查，發現紹興在水災、火災傷亡慘重之後，便以目連戲許願，章節白《諤崖挫說》云：

> 江南風俗，信禱祀。至禳蝗之法，惟設合倩優伶搬演《目連救母》傳奇，列紙馬齋供賽之，蝗輒不爲害。

> （引自茆耕如1993：151）

郭錢齡《山民隨筆》：

> 吾莆兵疢大疫之後，類集優人演目連，俗謂可消殄戾。

《閩雜記》：

> 七月祀孤，謂之盂蘭盆會。……戲臺上亦連日演戲，至滿日則演目連。若遇天災兵禍，莆仙民間爲保平安吉利，亦請僧道建醮演目連，以驅逐邪鬼。

或地方不靖，縊死鬼多則演目連（胡樸安1992：279），或如辰河地區民國五年討袁軍隊，多人犧牲，遂演出目連戲長達四個月之久；民國二十二年旱災，便建羅天大醮搬演目連；民國十七年旱災瘟疫，繼而豺狗進城，居民夜間不敢出門，遂建羅天大醮，亦演目連（李懷蓀1993：69）。無論旱災、瘟疫、蝗害、或是民眾發生重大傷亡之時，均透過搬演目連的行爲以「消殄戾」、祈雨或攘蝗害，祈能解脫苦難。《芙蓉話舊錄》〈大戲〉亦云：

> 俗謂此戲可拔除不祥，不演則凶殺之案必多。

全在祛疫驅祟，祈求地方平安，所以搬目連又可稱爲「太平會」
（羅萍1984：242）、還願戲、平安大戲、太平戲等等。

　　上述這三方面最終的目的其實相同，都是在驅鬼避邪，祈求
平安，《浙江風俗簡志》〈紹興篇〉「中元節」的記載也指出目
連戲從超度亡魂到驅鬼除祟的轉變：

> 七月十五謂中元節，俗稱鬼節，認爲陰間每於七月十三將
> 鬼魂放出，任其自由五天，至十八夜收回，故此間有祭祖
> 先、掃孤魂，寺院營齋供、民間作盂蘭盆會等。皆與鬼
> 事相關。……。至十三日便開始演目連戲，此戲本爲勸善
> 戲，但後來卻又演變爲消災辟邪祈安的平安戲了。……戲
> 的最後，便是無常拿了閻王給他的牌票，去捉拿戲中出
> 現的壞人，並處死壞人，以「燒大牌」（即祭品清單）結
> 束。」（引自徐宏圖1995b：30-31）

所以功德道場或喪葬儀式雖然以祭祀祖先和超度無主孤魂爲名，
事實上卻與儺祭絕相類似，目的都在驅逐鬼祟，只是儺祭採取強
制驅逐的方式，而超度亡魂則藉著懷柔鬼魂的手段，使鬼魂遠離
人世(呂理政1990：217，楊知勇1993)（見第二章第四節）。因而驅鬼與
超度這二種儀式多在目連戲中一並混雜演出，但與其說是爲了死
人而超度，還不如說是爲了活人而驅除(曲六乙1991：111)。

　　Piet van der Loon 指出：目連戲演出的主旨不是在闡揚目
連或是觀音的美德，也不是灌輸觀眾道德教訓，以宗教的力量來
勸善懲惡，甚至主旨也不是在祖先崇拜祭祀之上，它們乃是以直
接而觸目驚心的動作來清除社區的邪祟，揮掃疫癘的威脅，並安
撫慘死、冤死的鬼魂(引自Teiser 1989：207)。目連故事正爲此種
目的提供了良好的架構，故目連戲中的目連不只是一個孝子而已，

他同時具有巫師的身份，是人與神鬼溝通的中介（meditation）（同上引：209）。

　　總之，目連戲或是在社會秩序需要「一張一弛」的調節下，定期配合時間的循環演出；或是在驟然發生重大變故，社會秩序趨於混亂動盪的時刻演出，這都符合 Victor　Turner 提出儀式所歷經的下列四個步驟：一、規範的破壞；二、危機的產生；三、雙分設法彌補或妥協；四、重新整合或分離(詳見第一章第三節)。當社會規範失去均衡，出現危機之時（如瘟疫、旱災、蝗害、兵災），大傳統逐漸失去了對於小傳統穩固的控制，雙方無法再繼續維繫和諧順暢的連結，此時目連戲便成為一個「中介性」的過渡儀式，使社會秩序由混亂分離重新回歸到整合，透過這種儀式的搬演，大小傳統相互妥協，以尋覓一個新的平衡點。但若是整合的手段失敗，則會產生類似庶民革命的事件，譬如崇禎十五年《吳縣志》卷十一「祥異」的記載就是一個例子：崇禎十一年蝗災時，太湖沿岸三十餘村以逐蝗儀禮為契機集結的農民佃戶團結起來「刑牲誓神」，引起「抗租」運動(引自田仲一成1981：10)，因此，迎神賽會的戲曲活動雖然具有前述整合社會秩序、鞏固社會規範的作用，但也有轉化成為革命運動的可能性，以徹底瓦解原先秩序的激烈手段，然後重新建立一套新的規範。這種潛在的革命精神使得朝廷對於民間目連戲採取敵對態度，屢次下達禁演命令，而另一方面朝廷也嘗試將目連戲收編到大傳統宮廷祭祀體制中，張照奉旨作《勸善金科》就是一例。但宮廷與庶民脫節，《勸善金科》充滿大傳統教忠教孝、忠君愛國等專制思想，終究屬於臺閣之作，與民間目連戲的精神相差遠矣。

　　然而必需注意的是，即使在民間迎神賽會上演的目連戲，仍

然具有強烈儒家道德教化的色彩，可見大傳統控制的嚴密，所以中國一直鮮少產生眞正的農民革命。正如本文第四章所述，目連戲中大量的滑稽小戲雖然具有顚覆的特質，但在道德教化的嚴密控制之下，未曾進一步形成有意識的抗爭，所以滑稽小戲嘻笑戲謔，重在娛樂，而庶民便藉由這種娛樂來獲得情緒的發洩與撫慰，就這一方面而言，宗教儀式與娛樂可說是非常近似。但涂爾幹以爲：我們若只是強調娛樂的一面，顯然就不能見到宗教的眞相，宗教儀式乃是社會群體用以使自己得到重新鞏固的手段，重點在於藉此以肯定自己集體的存在(涂爾幹1992：427-429,434)。故目連戲在嘻笑歡樂的背後，更象徵庶民群體的整合與認同，是凝聚社會向心力不可或缺的重要環節。

在此附帶提及的是中國戲曲的特質，曾師永義(1977：49)指出：「教化」和「娛樂」正是戲曲的二大主要目的。李豐楙(1991：199-200)也指出：民間的戲劇是將娛樂與教育的功能結合不分的，教忠作孝爲其包裝形式與教化的任務，因此插科打諢中，常有道德的主題插入。而唐文標（1985：2）則由此討論中國戲曲發展緩慢的原因，以爲：中國古戲劇一直都在娛樂性與社會道德使命感中尋取平衡點，因而中國人從來沒有全心全意地娛樂過，亦不曾毫無保留地投入生命的悲哀，這兩種各有其極的人性，中國人巧妙地拼湊而演化成獨特的文明方式，故道德劇同時也是娛樂劇，這一種中國戲劇的哲學特質，也是它遲緩起源的理論基礎。田仲一成（1981：63）則進一步由社會結構去討論中國戲劇的發展，而提出類似的說法，以爲中國戲曲具有二大特徵：一、娛樂系演劇（商業演劇）的停滯；二、戲曲題材局限於功名利祿、忠孝節義的範疇之內，造成戲曲世界的極端矮小化。他以爲造成這種現

象的原因就在於：

> 中國文化史上「以地緣社會（村落）爲基礎的文化，常被
> 血緣社會（同族）剝奪吸收」，亦即中國的儒教（忠孝節
> 義）有強化宗族組織的作用，經常將地緣演劇推向血緣演
> 劇的方向；反而，佛教、道教（異教）則傾向於打破中國
> 的血緣主義，而指向廣泛的地域結合，將被同族祭祀所剝
> 奪的演劇還原、解放到村落祭禮。（田仲一成1981：64）

中國演劇史即是由「血緣」與「地緣」組織的消長交替所構成，
「血緣」代表的是大傳統儒家的宗族勢力，以道德教化爲主；
「地緣」則指以村落爲單位的民間社祭，傾向反體制的庶民娛
樂。總之，上述學者說法都指陳出：中國戲曲一方面是庶民獲得
愉悅的管道，但另一方面卻又受到大傳統嚴格道德教化所控制，
正如目連戲在濃厚的道德使命下出之以猥褻敗德的滑稽趣味，二
者相互牽制，遂造成中國戲曲發展緩慢以及題材狹隘的特點，戲
劇藝術便轉將心力投注於歌辭雕琢之上（同上引：63），這一點實
堪深思玩味。

三、從興盛到衰退

最後本文所欲討論的是目連戲爲何會從興盛急速步向衰退呢？
運用「急速」二字來形容它衰退的過程，一點也不爲過，目連戲
由最早北宋時的記載，然後一直延續到民國初年(劉禎1992：42)，
都在民間保持大規模的演出活動，不論是七天三天，或是四川宜
賓縣長達一年之久，都可見目連戲在鄉村土壤上具有蓬勃旺盛的
生命力。但是爲何近幾十年來它卻急遽消褪下去，甚至幾乎銷聲
匿跡了呢？從近年來的田野調查（李豐楙1992，王天麟1994，容世誠、

張學權1994，徐宏圖1995a，邱坤良1989）顯示，現在各地尚演出的目連戲幾乎只剩餘儀式部分（如「破地獄」「破血湖」），戲劇情節及人物已經非常稀少淡薄了。李豐楙（1992：100）以為這種現象的原因在於：目連戲可以分為聖與俗兩個空間，戲是附加的、可變的俗的部分，所以近年來逐漸消失，而儀式則為不變的神聖的部分，具有堅強的牢固性，所以繼續保留。但這似乎仍然無法說明何以目連戲能持續演出幾百年之久而不墜，卻到今日才驟然消褪的原因。

筆者以為基於前述整合社會秩序功能的觀點來看，目連戲在社會秩序混亂不安之時，提供庶民一段「非常」的「中介性」時空，民眾得以放肆狂歡，解脫束縛，是提供情緒宣洩的重大娛樂；同時它還兼具道德教化的功效，可以促進大小傳統秩序的穩定與和諧。然而在今日社會從農業急遽轉型到工商業的情況之下，社會開放，教育普及，戲曲早已逐漸失去往日道德教化的意義，而電視電影等各式各樣大眾媒體興起，人民宣洩壓力以及獲得娛樂的管道可說不勝枚舉，迎神賽會的戲曲活動也就不再具有昔日農業社會「一張一弛」的調劑娛樂價值。李亦園（1992c）也指出：早期民間宗教具有村落社區整合的功能，但是工商業社會生活形態改變的結果，民間宗教卻被個人的行為所取代，關心的變成是個人的現實問題的解答與滿足，具有實際功利的色彩，譬如相命風水或乩童。本來戲曲活動的特徵之一，就是公開的、開放給全體民眾去參與，藉此加強聚落居民的認同感與集體意識（identity and collective conciousness），然而社會轉型的結果，上述功能不再存在，地方戲曲活動已經明白地轉向功利的還願與許願的性質，以及求取對應與回報的道德關係，這種現象

明顯的暗示戲曲社會功能已狹窄特化到某些領域之，甚至於作為
一種鄉民日常生活的活動之一的戲曲活動，也受限於目前整個政
治、經濟、教育制度，而無法普遍的存在或繼續發展於現代社會
中(王嵩山1988：63，8)。因而社會變遷的結果，使得目連戲整合社
會秩序的功能被其他事物所取代，故其中道德與宗教這二元系統
無法再彼此協調，發揮作用。宗教與道德這二大要素一旦瓦解，
遂使得目連戲急速地消褪下去。

　　在現代社會中，庶民文化已經被大眾的消費文化所取代，於
是一切傳統民俗技藝都日漸凋零，此乃社會事實。然而這並不代
表昔日具有輝煌光輝的庶民文化，如目連戲等，現在已經變成一
堆喪失意義的冰冷古老的化石，正如R. R. Marett《民俗學與心
理學》（1990：116）中所說：

> 歷史狀況在變化，而心理狀況則相對永恆，民俗學的學
> 者必需公平地對待這兩者。……對一個比我們更不會表達
> 內心思想的時代所擁有的拙樸的觀念和制度形式，也不應
> 該依據其自身變化的形態來解釋，而應從它他們所包含的
> 並以自己的方式表現出來的持久而生機勃勃的目的性來解
> 釋。如果要論及真理的話，那麼真理並不存在於僵硬的文
> 字中，而存在不斷發展的精神中。

　（R. R. Marett 1990：116, 137）

因此庶民文化是一有機的過程，隨著社會條件的改變而變動不羈，
永遠存留在人類心靈之中，如何拋棄獵奇的心態，在不斷變化的
外觀與形式下尋求永恆的本質，是探討庶民文化時所應致力的方
向與課題。目連戲曾經記錄了一段漫長歷史內中國社會庶民的心
靈意識，即使今日社會急速變遷，目連戲已逐漸衰落消失，但其

中蘊藏的庶民心靈意識卻是永恆不變,因而目連戲不只可以作爲戲曲和庶民文化的「活化石」,它更具有永恆的意義,而這也正是它依然深具研究的價值所在。

參 考 書 目

一

目連救母勸善戲文　鄭之珍，台北：天一。

勸善金科　張照，古本戲曲叢刊九集之五。

目連救母（莆仙戲）　劉楨校訂，台北：民俗曲藝（1994）。

超輪本目連　黃文虎校訂，同上（1994）。

目連戲（安徽郎溪）　茆耕如校注，民俗曲藝⑻（目連戲劇本專
　　輯）：15-107。

目蓮記（湘劇）　劉楨校訂，同上：108-207。

目連救母（豫劇）　鄧同德校訂，同上：208-261。

目連全會　李平、李昂校錄，台北：民俗曲藝（未出版）。

目連戲（高淳本）　陳忠美抄錄，茆耕如校勘，同上(未出版)。

目連救母（皖南本）　朱建明校訂，同上（未出版）。

靈官鎮台(川劇·高腔)　劉仲華整理，目連戲與巴蜀文化：105-
　　106，成都：四川戲劇（1993）。

捉寒林（川劇·高腔）　許金門整理，同上：107-109。

天排朝（川劇·高腔）　楊鳳仙口述，馬同駿記錄，同上：110-
　　111。

劉氏出嫁(川劇·高腔)　楊中泉執筆，許金門整理，同上：112-
　　115。

李狗上茱(川劇·高腔)　陳鴻遠口述，劉仲華整理，同上：116-

119。

火燒葵花(川劇・高腔)　楊鳳仙等口述，任榮鰲等整理，同上：120。

請巫禳解(川劇・端公調)　四川省川劇藝術研究院藏本，同上：121-122。

益利掃松（川劇・高腔）　同上，同上：123-124。

戲閻羅（川劇・彈戲）　同上，同上：125-132。

劉氏四娘哭嫁（蓬溪儺戲）　劉新堯整理，同上：141-143。

劉氏回煞（川北燈戲）　徐庭新、杜南樓口述，肖善生、凌澤久整理，同上：144-146。

川劇《目連傳》江湖本演唱條綱　許音遂藏本，四川目連戲資料論文集：211-242，重慶：川劇研究所（1990）。

川劇四十八本目連《連台戲場次》　李樹成抄本，同上：243-267。

目連傳（1957重慶鑒定演出本）　同上：267-372。

賊打鬼　羅國華口述，許金門整理，川劇目連戲綿陽資料集：84-95，四川：綿陽市文化局（1993）。

王婆罵雞　王永昌整理，同上：96-119。

佛說盂蘭盆經　西晉月氏三藏竺法護，大正大藏經・經藏・阿含部。

佛說盂蘭盆經疏　唐宗密疏，同上。

佛說報恩奉盆經　闕譯，同上。

地藏菩薩本願經　唐釋 實叉難陀，大正大藏經・論藏・宗經論部。

目連緣起　敦煌變文集（楊家駱主編）：701-713，台北：世界（1961）。

大目乾連冥間救母變文　同上：714-755。
目連變文　同上：756-760。

二

周禮古注集疏　劉師培，台北：國民（1960）。
禮記二十卷　鄭玄注，台北：中華（1981）。
續漢書辨疑　錢大昭，台北：弘道（1973）。
魏書　魏收，北京：中華（1988）。
隋書　魏徵，台北：中華（1976）。
說苑　劉向，台北：中華（1966）。
風俗通義校注　應劭，王利器校注，台北：明文（1982）。
鹽鐵論校注　王利器校注，台北：中華（1992）。
東京夢華錄注　孟元老撰，鄧之誠注，台北：漢京（1984）。
陶庵夢憶　張岱，台北：金楓（1986）。
清稗類鈔選　徐珂，台灣銀行：台灣文獻叢刊第二四一種。
中華全國風俗志　胡樸安，台北：啓新書局（1968）。
曲品校注　呂天成撰，吳書蔭注，北京：中華（1990）。
宋元戲曲史　王國維，商務（國學小叢書）。
閩雜記　施鴻保，台北：閩粵（1968）。

三

王安祈
　1986　明代傳奇之劇場及其藝術，台北：學生。
王嵩山
　1988　扮仙與作戲，台北：稻鄉。

王嵩山、江宜展

　　1984　台灣民間戲曲的形式與意義：兼論傳統的轉型與現代發
　　　　　展，民俗曲藝⑵：56-121。

王利器

　　1981　元明清三代禁燬小說、戲曲史料，上海古籍。

任半塘

　　1985　唐戲弄，台北：漢京。

李元貞

　　1987　中國古典戲曲的喜劇風格（上、下），民俗曲藝（49、
　　　　　50）：46-72、95-129。

周貽白

　　1979　中國戲曲發展史綱要，上海：上海古籍。

　　1982　中國戲曲發展的幾個實例，周貽白戲劇論文選：14-17，
　　　　　湖南人民。

胡士瑩

　　1980　話本小說概論，北京：中華。

胡耀恆

　　1983　亞里士多德的詩論——它在西方文學理論中的效能及在
　　　　　中國戲劇批評中的應用，中外文學(11：12)：4-53。

唐文標

　　1985　中國古代戲劇史初稿，台北：聯經。

孫昌武

　　1989　佛教與中國文學，台北：東華。

高辛勇

　　1987　形名學與敘事理論，台北：聯經。

曾師永義

　1975　中國古典戲劇的特質，中外文學（4：4）：34-51。

　1977　說戲曲，台北：聯經。

　1988a 中國古典戲劇的形成，詩歌與戲曲：79-114，台北：聯經。

　1988b 中國地方戲曲形成與發展的徑路，同上書：115-153。
　　　　1988

　1988c 唐戲「踏謠娘」及其相關問題，同上書：153-178。

　1992　參軍戲及其演化之探討，參軍戲與元雜劇：1-122，台北：聯經。

張庚、郭漢城

　1984　中國戲曲通史，台北：丹青。

張紫晨

　1989　中國民間小戲，浙江：浙江教育出版社。

路應昆

　1992　中國戲曲與社會諸色，吉林：吉林教育出版社。

鄭振鐸

　1957　中國俗文學史，作家出版社。

戴平

　1986　論丑角之美，戲曲美學論文集：301-323，台北：丹青。

譚正璧

　1957　話本與古話劇，上海：古典文學出版社。

譚達先

　1988　中國民間戲劇研究，台北：商務。

四

文憶萱

1984　湖南的目連戲，戲曲研究(11)：210-222，中國藝術研究院。

方曉慧

1993　向傳統戲曲藝術中學導演：重排目連戲的認識，目連戲研究論文集：264-284，湖南：藝海編輯部。

王天麟

1994　桃園縣楊梅鎮顯瑞壇拔度齋儀中的目連戲「打血盆」，民俗曲藝(84)：51-70。

王躍

1990　川劇的四十八本目連戲──《連台戲場次》的基本內容及初步研究，四川目連戲資料論文集：18-51，重慶：川劇研究所。

毛禮鎂

1988　江西南戲《目連》考，目連戲研究文集：131-147，安徽省藝術研究所。

1991　莆仙戲《目連傳》考，福建目連戲研究文集：21-31，福建省藝術研究所。

1992　弋陽腔目連戲，民俗曲藝(78)(目連戲專輯下)：9-24。

田仲一成

1981　中國地方劇的發展構造(一)(二)(三)（吳密察譯），民俗曲藝(12)1-22，(13)44-57，(14)：53-67。

1988　新加坡莆仙同鄉會逢甲普度目連初探，目連戲研究文集：

224-245，合肥：安徽省藝術研究所。

任光偉

1992　目連戲三題，民俗曲藝⑺⑻(目連戲專輯下)：255-264。

曲六乙

1991　目連戲的演變與儺文化的滲透，福建：中國南戲暨目連戲國際學術研討會論文。

朱建明

1988　目連戲在上海，目連戲研究文集：265-272，合肥：安徽省藝術研究所。

李豐楙

1991　台灣儀式戲劇中的諧謔性—以道教、法教爲主的考察，民俗曲藝⑺⑴：174-210。

1992　台灣中南部道教拔度儀中目蓮戲、曲初探，民俗曲藝⑺⑺：78-148。

1993　由常入非常：中國節日慶典中的狂文化，中外文學(22：3)：116-150。

李國庭

1990　《目連救母勸善記》縱橫談，福建南戲暨目連戲研究論文集：173-185，福建省藝術研究所。

李懷蓀

1989a　耐人尋味的喜劇穿插：辰河高腔目連戲探索之二，目連戲論文集：37-49，湖南省懷化地區藝術館。(1989)

1989b　鄉情濃郁的祭祀劇：辰河高腔目連戲探索之三，目連戲論文集：50-89，湖南省懷化地區藝術館。

1992a　古老戲曲的活化石，民俗曲藝⑺⑻：61-102。

　　1992b 辰河目連戲神事活動闡述，民俗曲藝⑺：103-163。

　　1993 初論辰河目連戲的歷史文化內涵，目連戲研究論文集：
　　　　　41-72，湖南：湖南省藝術研究所藝海編輯部。

肖士雄

　　1993 自貢目連戲演出風貌和特色擷微，目連戲與巴蜀文化：
　　　　　56-61，四川戲劇。

沈繼生

　　1991 泉州法事戲與《目連救母》，福建目連戲研究文集：105-
　　　　　112，福建省藝術研究所。

杜建華

　　1993 巴蜀目連戲劇文化概論，北京：文化藝術。

周作人

　　1993 談《目連戲》，目連資料編目概略：202-204，台北：民
　　　　　俗曲藝。

茆耕如

　　1992 論《勸善記》與南本《目連戲》的主旨，民俗曲藝⑺：
　　　　　249-266。

　　1993 目連戲資料編目概略，台北：民俗曲藝。

林一

　　1993 祈劇《目連傳》發掘演出追記，目連戲研究論文集：345-
　　　　　355，湖南省藝術研究所藝海編輯部。

林慶熙

　　1990 南戲《目連戲》尋蹤：莆仙戲《目連》，福建南戲暨目
　　　　　連戲論文集：21-35，福建省藝術研究所。

　　1991 漫談福建莆仙戲《目連》，福建目連戲研究文集 ： 32-

44，福建省藝術研究所。2000

1992　福建莆仙戲《目連》考，民俗曲藝⒄：25-38。

長映

1989　辰河戲《目連傳》中的鬼神，目連戲論文集：90-92，湖南省懷化地區藝術館。

胡天成

1992　佛教倫理道德觀中國化管窺，民俗曲藝⒄（目連戲專輯上）：49-72。

1993　重慶喪葬祭祀儀式中的目連救母故事表演，目連戲與巴蜀文化：87-91，四川戲劇。

柯子銘

1991　泉州傀儡目連的獨特性與考源淺析，福建目連戲研究文集：95-104，福建省藝術研究所。

柯如寬

1990　莆仙戲《目連救母》上集注後記，福建南戲暨目連戲研究文集：131-139，福建省藝術研究所。

姚遠牧

1988　南陵目連戲綜述，目連戲研究文集：213-223，合肥：安徽省藝術研究所。

容世誠、張學權

1994　南洋的興化目連戲與超度儀式，中國祭祀儀式與儀式戲劇研討會發表論文，清華大學人文社會學院、中央圖書館漢學中心。

徐宏圖

1988　浙江目連戲概述，目連戲研究文集：191-205，合肥：

安徽省藝術研究所。

  1995a 浙江省東陽市馬宅鎮孔村漢人的目連戲，台北：民俗曲藝。

  1995b 浙江省目連戲資料匯編，台北：民俗曲藝（未出版）。

郭漢城

  1995 重看紹興目連戲，浙江省目連戲資料匯編：，台北：民俗曲藝。

陳紀聯

  1990 莆仙戲《目連》的特色及淵源初探，福建南戲暨目連戲論文集：87-100，福建省藝術研究所。

  1991 莆仙目連戲撿拾，福建目連戲研究文集：53-65，福建省藝術研究所。

陳芳英

  1983 目連救母故事之演變及其有關文學之研究，台大文史叢刊之六十五：台大中文所碩士論文。

陳翹

  1991 宗教法事中的《目連》，福建目連戲研究文集153-168，福建省藝術研究所。

董每戡

  1995 說戲文，浙江省目連戲資料彙編：51，台北：民俗曲藝。

敬永林

  1990 〈耿氏上吊〉弄假成眞，四川目連戲資料論文集：173，重慶市川劇研究所。

黃文虎

  1988 高淳陽腔目連戲初探，目連戲研究文集：179-190，合

肥：安徽省藝術研究所。

黃錫鈞

　　1990　泉州《傀儡》目連概述，福建南戲暨目連戲論文集：140-
　　　　　153，福建省藝術研究所。

黃傳瑜

　　1993　川劇目連戲中的神事活動與巴蜀巫道之風，目連戲與巴
　　　　　蜀文化：7-12，四川戲劇。

葉明生

　　1990　論莆仙戲《目連》與宋元《目連傳》，福建南戲暨目連
　　　　　戲研究文集：75-86，福建省藝術研究所。

　　1991　福建目連戲簡述，福建目連戲研究文集87-94，福建省
　　　　　藝術研究所。

張泉娣

　　1992　泉州提線木偶戲《目連救母》，福建目連戲研究文集：
　　　　　131-134，福建省藝術研究所。

張百厚

　　1990　下川東目連戲調查:藝人口碑，四川目連戲資料論文集：
　　　　　181-188，重慶市川劇研究所。

張有漁

　　1993　「搬目連」和「搬東窗」，目連戲與巴蜀文化：171-173，
　　　　　四川戲劇。

溫余波

　　1988　四川「目連戲」面面觀，目連戲研究文集：163-178，合
　　　　　肥：安徽省藝術研究所。

詹曉窗

1990 打城戲與《目連救母》，福建南戲暨目連戲論文集：154-164，福建省藝術研究所。

楊孟衡

1994 「目連三段」論——兼談古賽「目連」之歷史地位，民俗曲藝(86)：22-49。

蔡豐明

1993 紹興目連戲與民間鬼神信仰，民俗曲藝(82)中國儺文化與民間信仰（上）：263-286。

蔣瑩

1993 川東木偶戲中的目連戲，目連戲與巴蜀文化：72-75，四川戲劇。

趙日和

1990 從莆仙戲《目連救母》看北宋雜劇的南來，福建南戲暨目連戲研究文集：36-48，福建省藝術研究所。

魯迅

1993 女吊，目連資料編目概略：175-180，台北：民俗曲藝。

劉回春

1992 祈劇目連戲流變考，民俗曲藝(77)：289-309。

1993 祈劇目連戲的興起年代與藝術形態考，目連戲研究論文集：73-101，湖南省藝術研究所藝海編輯部。

劉禎

1992 目連戲研究，北京：中國藝術研究院戲劇學博士論文。

1993 劉氏形象的不統一性與川劇的選擇，目連戲與巴蜀文化：12-15，四川戲劇。

劉新堯

1993　《劉氏四娘哭嫁》整理追記，目連戲與巴蜀文化：143-
　　　144，四川戲劇。

薛若鄰

1992　涵蓋多元思想，包容多種藝術——論目連戲兼及海內外
　　　的研討情況，民俗曲藝(77)（目連戲專輯：上）：5-22。

羅萍

1984　浙東民間啞劇——「啞目連」，目連戲學術座談會論文
　　　選：241-251，長沙：湖南省戲曲研究所。

蕭賽、谷雨

1993　目連戲的俗文化特徵和研究價值，目連戲與巴蜀文化，
　　　四川：四川戲劇

嚴樹培

1993　敘府民國年間的一次搬目連始末，目連戲與巴蜀文化：
　　　63-70，四川戲劇。

鐵耕

1989　目連戲三辨，目連戲論文集：93-104，湖南省懷化地區
　　　藝術館。

五

王秋桂

1990　元宵節補考，民俗曲藝(65)：5-33。

古添洪

1993　〈由常入非常：中國節日慶典中的狂文化〉評論，中外
　　　文學（22：3）：151-154。

李亦園

1978　信仰與文化，台北：巨流。

1982　臺灣民俗信仰發展的趨勢，民間信仰與社會研討會論文集：89-101，東海大學、臺灣省民政廳。

1983　社會變遷與宗教皈依：一個象徵人類學理論模型的建立，中央研究院民族學研究所集刊(56)：1-28。

1992a 文化與行爲，台北：商務。

1992b 從若干儀式行爲看中國國民性的一面，中國人的性格：181-200，台北：桂冠。

1992c 台灣民間宗教的現代趨勢，中國宗教倫理與現代化：113-129，黃紹倫編，台北：商務。

李桂海

1992　農民戰爭與宗教的關係，道教與傳統文化：45-56，北京：中華書局。

弗雷澤（J. G. Frazer）

1991　金枝(上)(下)（汪培基譯），台北：桂冠。

宋錦秀

1992　蘭陽地區傀儡戲的除煞儀式：一個宗教人類學的研究，臺灣大學人類學研究所碩士論文。

何翠萍

1982　野台戲在民間節慶演出的意義，民間信仰與社會研討會論文集：53-67，東海大學、臺灣省民政廳。

1984a 人類學研究民間戲曲的意義，民俗曲藝(30)：17-38。

1984b 從象徵出發的人類學研究：論 Victor Turner 教授的過程性象徵分析，人類與文化(19)：56-64。

阮昌銳

1982 儀式活動中的反常行為及其社會意義，民間信仰與社會
研討會論文集：176-188，東海大學、臺灣省民政廳。

邱坤良

1986 「中國劇場之儀式劇目」研究初稿，民俗曲藝(39)：100-
139，台北。

1989 Mu-lien"Operas" in Taiwan Funeral Rituals,*Ritual
Opera Operatic Ritual: "Mu-lien Rescues His
Mother" in Chinese Popular Culture*:105-125, Ber-
keley: University of Califonia.

1993 台灣的跳鍾馗，民俗曲藝(85)（中國儺戲儺文化國際研討
會論文集）：325-369。

盛婕

1993 江西省「儺舞」調查介紹，民俗曲藝(83)（中國儺文化與
民間信仰下）：1-24。

黃美英

1985 神聖與世俗的交融——宗教活動中的戲曲與陣頭遊藝，
民俗曲藝(38)：24-44。

1994 台灣媽祖的香火與儀式，台北：自立晚報。

楊知勇

1993 神鬼觀念的二重性與儺及喪葬祭儀的實質，民俗曲藝(82)
（中國儺文化與民間信仰上）：65-98。

楊啓孝

1993 中國儺戲儺文化資料彙編，台北：民俗曲藝。

澤田瑞穗

1985 魚籃觀音的傳說，中國文學論著譯叢(下)：1039-1058，

·198· 　民間目連戲中庶民文化之探討—以宗教、道德與小戲爲核心

　　　　台北：學生。

龍彼得

　1985　中國戲劇源於宗教儀典考（王秋桂、蘇友貞譯），中國
　　　　文學論著譯叢（下）：523-548，台北：學生。

　1992　關於漳泉目連戲，民俗曲藝⑺(目連戲專輯下)：53-60。

　1993　法事戲初探，民俗曲藝⑻（中國儺戲儺文化國際研討會
　　　　論文集上）：9-30。

蕭兵

　1993　儺儀和臘典的本質聯繫，民俗曲藝⑻（中國儺文化與民
　　　　間信仰上）：47-64。

饒宗頤

　1993　殷上甲微作禍(儺)考，中國儺戲儺文化研討會論文集，
　　　　民俗曲藝⑻：31-42。

六

中村元

　1984　中國佛教發展史，台北：天華。

　1991　中國人之思惟方法，台北：學生。

文崇一

　1988　中國人的富貴與命運，中國人——觀念與行爲：25-42，
　　　　台北：巨流。

　1989　中國人價值觀，台北：東大。

　1992　從價值取向談中國國民性，中國人的性格：47-84，台
　　　　北：中央研究院民族學研究所。

　1994　道德與富貴——中國人的價值衝突：中國人的價值觀—

社會科學觀點，台北：桂冠。

方立天

1990　中國佛教與傳統文化，台北：桂冠。

王和

1992　傳統倫理的現實功能，中國宗教倫理與現代化：88-94，
　　　台北：商務。

冉雲華

1990　中國佛教對孝道的受容及後果，從傳統到現代──佛教
　　　倫理與現代社會：107-120，台北：東大。

朱瑞玲

1992　中國人的慈善觀念，中國人的心理與行為：文化、教化
　　　及病理篇：1-28，台北：桂冠。

余英時

1987　中國近世宗教倫理與商人精神，台北：聯經。

1992　中國文化的大傳統與小傳統，內在超越之路：192-220，
　　　北京：中國廣播電視出版社。

宋光宇

1983　中國地獄罪報觀念的形成，臺灣省立博物館年刊(26)：1-
　　　36。

1984　地獄之說與道德思想的研究，漢學研究通訊(3：1：9)：
　　　3-5。

呂理政

1990　天、人、社會，台北：中央研究院民族學研究所。

沈宗憲

1986　宋代民間的幽冥世界觀，台北：千華。

杜維明

　　1992　儒家傳統的現代轉化，北京：中國廣播電視出版。

金觀濤、劉青峰

　　1994　興衰與危機——論中國社會超穩定結構，台北：風雲時代。

金耀基

　　1989　儒家倫理、社會學與政治秩序，儒家倫理與秩序情節：1-11，台北：巨流。

　　1993　從傳統到現代，台北：時報文化。

秦家懿、孔漢思

　　1989　中國宗教與西方神學，台北：聯經。

韋伯

　　1989　中國的宗教：儒教與道教（簡惠美譯），台北：允晨。

涂爾幹（Emile Durkheim）

　　1992　宗教生活的基本形式(芮傳明、趙學元譯)，台北：桂冠。

許倬雲

　　1977　中國傳統的性格與道德規範，現代化與價值變遷（文崇一主編）：53-60，台北：思與言。

許烺光（Hsu, L.K.）

　　1975　*Ander the ancestors' shadow*, Standford Calif：Standford University Press.

　　1979　文化人類學新論，台北：聯經。

　　1989　中國人與美國人（徐隆德譯），台北：巨流。

梁漱溟

　　1982　中國文化要義，台北：里仁。

陳其南

1994　傳統中國文化中的倫理思想與社會理念，中國人的價值
觀—社會科學觀點：273-320，台北：桂冠。

陳秉璋

1990　道德規範與倫理價值，台北：國家政策資料研究中心。

康韻梅

1994　中國古代死亡觀之探究，台大文史叢刊之九十五：台大
中文所博士論文。

董芳苑

1991　原始宗教，台北：久大文化。

黃光國

1989　儒家思想中的正義觀，中國人的心理與行為——第一屆
科際研討會會議論文集：113-140，台灣大學心理學系
暨研究所。

葉啓政

1984a　結構、意識與權力——對「社會結構」概念的探討，社
會、文化和知識分子：1-56，台北：東大。

1984b　「傳統」概念的社會學分析，同上書：57-88。

張德勝

1989　儒家倫理與秩序情結，台北：巨流。

費孝通

1988　差序格局，費孝通學術精華錄：357-365，北京：北京
師範學院。

1992　繫維著私人的道德，中國宗教倫理與現代化：255-260，
台北：商務。

楊中芳

  1994 中國人眞是集體主義嗎？中國人的價值觀——社會科學
       觀點：321-434，台北：桂冠。

楊曾文

  1990 大乘佛教倫理與現代社會，從傳統到現代——佛教倫理
       與現代社會：211-232，台北：東大。

楊懋春

  1992 中國的家族主義與國民性格，中國人的性格：127-174，
       台北：中央研究院民族學研究所。

楊聯陞

  1976 報——中國社會關係的一個基礎（段昌國譯），中國思
       想與制度論集：349-372，台北：聯經。

楊國樞

  1981 中國人的性格與行爲：形成及蛻變，中華心理學刊(23：
       1)：39-55。

  1988 中國人與自然、他人、自我的關係，中國人——觀念與
       行爲：9-24，台北：巨流。

楊慶堃（Yang, C.K.）

  1961 *Religion in Chinese Society*,Berkeley and Los An-
       gles: University of California Press.

  1976 儒家思想與中國宗教之間的功能關係，中國思想與制度
       論集：319-347，台北：聯經。

  1989 《中國的宗教》導論：25-63，台北：允晨。

劉道超

  1992 中國善惡報應習俗，台北：文津。

鄭志明

　1986　中國社會與宗教，台北：學生。

　1988　遊記類鸞書所顯示之宗教新趨勢，中國善書與宗教：413-
　　　　456，台北：學生。

　1993　儒釋道思想俗世化的危機與轉機，中國意識與宗教：63-
　　　　80，台北：學生。

錢穆

　1979　從中國歷史來看中國民族性及中國文化，台北：聯經。

七

Bakhhtin, Mikhall

　1984　*Rabelais and His World*, Bloomington:Indiana Uni-
　　　　versity Press.

Eberhrd, W.

　1985　中國廟宇裝飾中的題材及道德價值觀（張月珍譯），中
　　　　國文學論著譯叢（下）：1059-1077，台北：學生。

Feutchwang, Stephen

　1992　命運和傳統──台灣民間廟宇儀式（沈濟民譯），中國
　　　　宗教倫理與現代化：130-151，台北：商務。

Fiske, John

　1993　瞭解庶民文化（陳正國譯），台北：萬象。

Gennep, Van

　1960　*The Rites of Passage*,Chicago: University of Chi-
　　　　cago Press.

Hamilton, Gray

1992 父權制、世襲主義與孝道（陳介玄譯），中國宗教倫理與現代化：203-240，台北：商務。

Johnson, David（姜士彬）

1990 Scripted Performance in Chinese Culture: An Approach to the Analysis of Popular Literature，漢學研究（8：1）：37-55。

1989 Action Speaks Louder Than Words: the Cultural Significance of Chinese Ritual opera, *Ritual Opera Operatic Ritual: "Mu-lien Rescues His Mother" in Chinese Popular Culture*：1-45，Berkeley：University of California.

Katz, Paul R.

1994 Rites of Passage or Rites of Affliction?: A Preliminary Analysis of the Pacification of Plagues Ritual，中國祭祀儀式與儀式戲劇研討會論文，清華大學人文及社會學院。

Marett, R.R.

1990 心理學與民俗學（曾召銘譯），台北：結構群。

Merchant, Moelwyn

1978 論喜劇（高天恩譯），西洋文學術語叢刊（下）：409-522，台北：黎明。

Tesier, Stephen F.

1989 The Ritual Behind the Opera： A Fragmentary Ethnography of the Ghoast Festevial, *Ritual Opera Operatic Ritual: "Mu-lien Rescues His Mother" in*

Chinese Popular Culture：191-221, Berkeley：University of Califonia.

Turner, Victor

1967 *The Forest of Symbols: Aspects of Ndembu Ritual*, New York: Cornell University Press.

1969 *The Ritual Process:Structure and Anti-structure*, Chicago: Aldine Publishing Company.

1974 *Dramas. Fields. and Metaphors*, New York: Cornell University Press.